Waltham Forest
Please return this item by the last dat
renewed unless required by

D0544999
13 JUL 2019

WALTHAM FOREST LIBRARIES
029 030 478

# LE CRIME
# DU COMTE NEVILLE

AMÉLIE NOTHOMB

# LE CRIME DU COMTE NEVILLE

roman

ALBIN MICHEL

IL A ÉTÉ TIRÉ DE CET OUVRAGE

*Trente-cinq exemplaires*
*sur vergé blanc chiffon, filigrané, de Hollande*
*dont vingt-cinq exemplaires numérotés de 1 à 25*
*et dix exemplaires, hors commerce, numérotés de I à X*


| WALTHAM FOREST PUBLIC LIBRARIES | |
|---|---|
| 29030478 | |
| Star Books | 10/3/2016 |
| | £23 |
| | |


© Éditions Albin Michel, 2015

Si l'on avait annoncé au comte Neville qu'il se rendrait un jour chez une voyante, il ne l'aurait pas cru. Si l'on avait précisé que ce serait pour y chercher sa fille qui aurait fait une fugue, cet homme sensible se serait évanoui.

Un genre de secrétaire lui ouvrit et le conduisit jusqu'à une salle d'attente.

– Madame Portenduère va vous recevoir très vite.

On se serait cru chez le dentiste. Neville s'assit, très raide, et regarda avec perplexité les motifs tibétains qui décoraient les murs. Quand il se retrouva dans le cabinet de la voyante, il demanda aussitôt où était sa fille.

– La petite dort dans la pièce d'à côté, répondit la dame.

Neville n'osa parler : allait-on exiger de lui une rançon ? La voyante, une femme sans âge, énergique, rondelette, d'une extrême vivacité, reprit la parole :

– Hier, après minuit, je me promenais dans la forêt non loin de votre domaine. La lune éclairait presque comme en plein jour. C'est là que je suis tombée sur votre fille, roulée en boule, qui claquait des dents. Elle n'a rien voulu me dire. Je l'ai convaincue de m'accompagner : elle allait mourir de froid si elle restait dehors. Arrivée ici, j'ai voulu vous appeler tout de suite pour vous rassurer : elle a dit que c'était inutile, que vous n'aviez pas remarqué sa disparition.

– C'est exact.

– J'ai donc attendu ce matin pour vous téléphoner. Comment est-il possible que vous n'ayez pas remarqué l'absence de votre fille, monsieur ?

– Elle a dîné avec nous et puis elle est montée

dans sa chambre, comme chaque soir. Elle a dû sortir quand nous étions déjà couchés.

– Comment était-elle, au dîner ?

– À son habitude, elle n'a pas prononcé un mot, n'a guère mangé et n'a pas semblé en grande forme.

La voyante soupira :

– Ça ne vous inquiète pas, d'avoir une fille dans cet état ?

– Elle a dix-sept ans.

– L'explication vous suffit ?

Neville fronça les sourcils. De quel droit cette femme l'interrogeait-elle ?

– Je me doute que mes questions vous choquent, mais c'est moi qui ai trouvé votre fille dans la forêt en pleine nuit. Comprenez mon étonnement. Je lui ai demandé si elle avait un rendez-vous amoureux, elle m'a regardée avec stupéfaction.

– Ce n'est pas son genre, en effet.

– C'est quoi son genre ?

– Je ne sais pas. C'est une adolescente taciturne.

– Vous n'avez jamais pensé à lui procurer une aide psychologique ?

– Elle est renfermée. Ce n'est pas une maladie.

– Quand même, elle a fugué.

– C'est la première fois.

– Monsieur, je vous trouve étrangement peu inquiet.

Neville réprima sa colère d'être jugé par une inconnue. Ce matin, quand la voyante lui avait appris la nouvelle au téléphone, il avait été bouleversé. Mais il n'était pas homme à montrer ses émotions.

– Je me mêle de ce qui ne me regarde pas, d'accord, reprit-elle. Vous l'auriez vue, grelottant seule dans la forêt. Elle n'avait pas même emporté une couverture ou un manteau. Cette petite me touche, elle est si mal dans sa peau. Je me demande si vous vous intéressez assez à ses ressentis.

Le dernier mot frappa le comte comme une gifle. Ce n'était pas la première fois qu'il l'entendait. Depuis quelques années, pour d'obscures raisons, les gens ne se satisfaisaient plus des termes sentiments, sensations ou impressions, qui remplissaient pourtant parfaitement leur rôle. Il fallait qu'ils éprouvent des ressentis. Neville était allergique à ce vocable aussi ridicule que prétentieux.

La voyante perçut son irritation et se dit que le coup avait porté : ce père prendrait désormais ses responsabilités plus au sérieux.

Neville se leva, l'air de penser qu'il en avait assez entendu. La voyante le rejoignit et lui saisit la main en un geste d'enthousiasme, comme pour lui signifier qu'elle était de son côté, mais elle changea d'expression en lui touchant la paume.

– Vous allez bientôt donner chez vous une grande fête, dit-elle.

– En effet.

– Lors de cette réception, vous allez tuer un invité.

– Pardon ? s'écria le comte qui blêmit.

La voyante lâcha sa main et sourit.

– Rassurez-vous. Tout se passera à merveille. Suivez-moi, nous allons réveiller votre fille.

Sans cette prédiction de dernière minute, Neville aurait réservé à cet instant un trésor d'effusions. Mais quand il entra dans la pièce, il était plus raide que jamais.

La jeune fille, allongée sur un lit de camp, ne dormait pas.

– Bonjour papa, dit-elle posément.

– Bonjour ma chérie. Comment vas-tu ?

Sans écouter la réponse, il se retourna vers la voyante dans l'espoir qu'elle les laisserait seuls. Visiblement, elle tenait à assister à ces retrouvailles : elle allongeait le cou et écarquillait ses yeux ronds.

Comme absent à cette scène, le comte s'efforça de mimer l'émotion qu'il aurait éprouvée s'il n'y avait pas eu cette prophétie et cette prophétesse. Il vint serrer dans ses bras son enfant qui avait l'air aussi indifférente que d'habitude.

– Allons-y, suggéra-t-il.

Madame Portenduère voulut alors leur servir un petit déjeuner mais la petite l'aida à tenir bon :

– Merci, madame. Maman va s'inquiéter.

– Appelle-moi Rosalba et tutoie-moi, d'accord ?

– Oui, dit-elle, l'air d'espérer qu'aucune de ces deux possibilités ne se présenterait.

– Si tu as besoin de parler à quelqu'un, je suis là, ajouta la femme en remettant une carte de visite à la jeune fille.

Elle entraîna encore Neville dans son cabinet, comme si cet épisode lui donnait un droit de regard sur sa conduite.

– Vous devriez vous montrer plus chaleureux avec votre enfant, dit-elle.

Il était sur le point de protester que c'était entièrement de sa faute à elle s'il n'y avait pas réussi quand elle le désarçonna par cette question :

– Pourquoi l'avez-vous appelée ainsi ?

– Comment cela ?

– On n'appelle pas sa fille Sérieuse, voyons.

– Et pourquoi non ? dit le comte qui pensait : « Vous vous appelez bien Rosalba, vous. »

– On n'est pas sérieuse quand on a dix-sept ans.

– Vous commettez une faute de français. « On » entraîne l'invariabilité.

La voyante hocha la tête :

– Je crois que vous avez un problème, monsieur.

– Il suffit, madame. Vous avez sauvé ma fille et je vous en suis sincèrement reconnaissant. Si vous y consentez, nous en resterons là.

Tandis qu'il roulait vers le château, Neville fit des efforts pour se conduire comme un père qui retrouve sa fille après qu'elle a fugué.

– Est-ce que tu as quelque chose à me dire, ma chérie ?

– Pas spécialement, papa.

– Pourquoi t'es-tu enfuie ?

– J'ai seulement voulu passer la nuit dans la forêt. La voyante m'a découverte et a appelé ça une fugue. Sans elle, j'aurais réintégré ma chambre à l'aube et personne n'aurait rien remarqué.

– Pourquoi ne l'as-tu pas dit à cette femme ?

– Je l'ai dit. Elle n'en a pas démordu, pour elle les ados fuguent.

– Et pourquoi voulais-tu passer la nuit dans la forêt ?

– Pour savoir comment c'était.

– C'est la première fois que tu essaies ?

– Oui.

– Tu aurais pu mourir de froid.

– Je n'aurais jamais pensé grelotter à ce point, une nuit de septembre.

Le comte pensa qu'il n'y avait rien à redire à cette attitude :

– Sais-tu qu'à ton âge, j'ai moi aussi passé la nuit en forêt, comme toi ?

– Ah oui ?

– Si tu le veux bien, nous ne raconterons rien à ta mère. Cela l'inquiéterait.

– D'accord.

Fier d'avoir eu une vraie conversation avec sa fille, Neville se détendit quand lui revint la prédiction que la voyante avait proférée. Le premier dimanche d'octobre aurait lieu la fameuse garden-party annuelle du château du Pluvier. C'était l'événement mondain de cette région reculée des Ardennes belges. Il ne fallait pas songer à l'annuler. Neville était terrifié à l'idée qu'il allait y tuer l'un de ses invités. Cela ne se faisait pas. Et dire qu'il allait commettre un tel impair alors qu'il s'agirait de la toute dernière garden-party du Pluvier !

En effet, la famille était ruinée et n'aurait plus le droit d'entrer au château à partir du 2 novembre. Neville accordait une importance d'autant plus grande à cette ultime garden-party, où il entendait célébrer l'honneur familial pour la dernière fois en réjouissant ses hôtes. Ce n'était pas en assassinant l'un d'entre eux qu'il y parviendrait.

Il creva. Ni le père ni la fille ne savaient changer un pneu.

– Nous ne sommes qu'à deux kilomètres du Pluvier ; marchons. J'enverrai ton grand frère s'occuper de la voiture.

Ne pas parler quand on conduit est normal et même bien vu : c'est l'attitude du chauffeur concentré. Ne pas parler quand on marche auprès de sa fille est plus discutable. Le comte s'efforça de trouver quelque propos de circonstance :

– Raconte-moi ta nuit en forêt, ma chérie.

– Au début, tout était merveilleux. La chouette criait, l'air sentait bon. Je me suis couchée sur la mousse avec un oreiller de feuilles mortes, j'entendais courir les chevreuils. Très vite, j'ai été saisie par le froid et tout est devenu hostile.

– Tu aurais pu rentrer, ne serait-ce que pour aller chercher une couverture.

– Je m'étais juré que non.

Il sourit. Ce genre de pari lui paraissait typique de l'adolescence.

– Et puis madame Portenduère est arrivée. Elle m'a tendu sa cape, elle est gentille mais un peu... je ne sais pas comment dire.

– Je crois te comprendre.

– Elle cherchait des champignons particuliers qu'il faut cueillir après minuit.

– Allons bon.

– Un truc de voyante, sans doute.

Neville se rappela l'injonction de cette femme : elle lui avait suggéré de s'intéresser aux « ressentis » de sa fille. Il se mit à espérer que Sérieuse n'avait pas de tels traumas et tenta l'expérience :

– Parle-moi de tes ressentis, ma chérie.

– De mes quoi ?

– Tes ressentis.

Il avait honte rien que de prononcer ce mot.

– Excuse-moi, papa, cette question est ridicule.

Rassuré, il garda le silence.

Au loin, ils aperçurent une tour du château, encaissée au cœur de la forêt. Le comte sentit que sa fille partageait son émotion : comme ils aimaient ce lieu ! Comme ils souffraient à l'idée de le perdre !

Le plus dur était que désormais ils ne pourraient plus défendre ce havre. En Belgique, il n'y a pas de loi pour protéger les monuments historiques. Rien n'empêcherait les futurs propriétaires de raser cette construction de 1799 et l'antique forêt qui l'entourait. Ne plus posséder cet endroit de rêve n'était pas grave, mais qu'il soit détruit, même à titre d'hypothèse, les suppliciait tous les deux.

– C'est triste, n'est-ce pas ?

– Oui.

Ils auraient trouvé indigne d'ajouter quoi que ce fût. Ils savaient qu'en 2014, déplorer la perte du château familial eût été obscène. Comme le rappelait Neville, il était déjà remarquable d'avoir pu garder le Pluvier si longtemps.

Ils conserveraient toutefois la maison au pied du château, l'Aumônière, qui avait abrité naguère des métayers : ils ne seraient pas des sans-logis. Mais en cas de destruction du château et de la forêt, ils seraient aux premières loges pour assister au désastre.

– Où étiez-vous ? demanda la comtesse quand elle vit arriver son époux et sa fille.

– À la messe, improvisa Neville.

– À la messe ? Qu'est-ce qui vous prend ?

– J'avais des ressentis, dit Sérieuse.

– Qu'est-ce donc ?

– C'est pour rire, répondit le comte. Oreste, j'ai crevé. J'ai laissé la voiture au bord de la route, à mi-chemin du village. Peux-tu t'en occuper ?

Le jeune homme y alla aussitôt. Neville n'en revenait pas d'avoir pour fils ce grand gaillard athlétique de vingt-deux ans, féru de mécanique, tellement à l'aise dans la vie moderne. Il éprouvait la même fierté déconcertée quand il voyait Électre, sa fille de vingt ans, belle et charmante, qui avait tous les dons. Le seul de ses enfants dans lequel il se reconnaissait était Sérieuse, gauche, taciturne et mal dans sa peau.

Quand on lui demandait pourquoi il avait appelé ses deux aînés Oreste et Électre, il répondait sans vergogne que cela se faisait dans les meilleures familles. Quand on l'interrogeait sur le prénom de la petite dernière en s'étonnant qu'il n'ait pas eu la cohérence de l'appeler Iphigénie, il disait :

– J'ai plus de tolérance pour le parricide et le matricide que pour l'infanticide.

Il s'insurgeait aussi qu'on le chapitre sur ce sujet. En cette époque où l'on donnait aux enfants les prénoms les plus incongrus, il se trouvait très modéré et même classique dans ses choix.

C'était encore pour le prénom de la troisième qu'on l'avait le plus attaqué :

– Le sérieux vous paraît-il une valeur à mettre en avant ?

– Bien sûr. Je n'ai d'ailleurs rien inventé. Le prénom Ernest signifie sérieux.

– Pourquoi pas Ernestine, alors ?

– C'est laid, Ernestine. Sérieux n'est pas très beau, mais Sérieuse, c'est magnifique.

– N'avez-vous pas l'impression d'apporter de l'eau au moulin de ceux qui prétendent que les aristocrates portent des noms à coucher dehors ?

– Écoutez, mon épouse et moi, nous nous appelons Alexandra et Henri, comme tout le monde.

On avait rarement vu mari plus épris que Neville. Il avait quarante ans quand il avait rencontré cette femme de vingt ans sa cadette. Au premier regard, il était tombé amoureux de cette jeune fille d'une beauté stupéfiante.

À l'époque, il dirigeait déjà le plus prestigieux cercle de golf de Belgique, le Ravenstein, où il ne cessait d'organiser des événements mondains. À défaut d'être riche, il jouissait d'une réputation excellente. Mais sa vie sentimentale était une succession de fiascos et il se sentait condamné à finir célibataire.

– Tu choisis toujours des femmes beaucoup trop belles pour toi, lui disaient ses amis.

Il n'y pouvait rien si la beauté exerçait sur lui un empire aussi considérable. Il avait essayé de s'éprendre de filles au physique un peu quelconque comme le sien, en vain.

La beauté féminine était sa drogue dure : en présence d'une très belle femme, Neville entrait en lévitation, il la contemplait sans discontinuer et sans jamais connaître d'accoutumance.

Alexandra était encore plus saisissante de beauté que toutes les jeunes personnes auxquelles il avait succombé. Il pensait n'avoir aucune chance avec elle, il se trompait. Au deuxième rendez-vous, elle s'exclama :

– Vous me plaisez ! On se dit tu ?

Entre autres qualités, Alexandra débordait d'enthousiasme. Henri devint fou d'amour. Sa famille ne partageait pas sa passion pour cette fille issue de la toute petite noblesse.

Son père, Aucassin Neville, un personnage tonitruant, s'opposa à ce mariage :

– Je t'interdis d'épouser cette fille. Je te rends service : tu l'aimes uniquement pour sa beauté. Quand elle cessera d'être belle, tu me remercieras.

Henri tint bon. On était en 1990, il estima n'avoir aucun besoin d'approbation parentale pour se marier. Il aimait et respectait son père mais s'indignait qu'il rejette Alexandra pour un motif nobiliaire.

La fête du mariage eut lieu dans les somptueux jardins du Ravenstein. Henri et Alexandra s'aimaient depuis quatre années déjà, c'était un amour sûr. Aucassin n'en prédisait pas moins le malheur à une telle union. Il mourut peu de temps après.

Neville se félicitait d'avoir levé l'interdit paternel : épouser Alexandra avait été la meilleure initiative de sa vie. Aucassin s'était trompé en tout : Henri n'était pas tombé amoureux de sa femme uniquement pour sa beauté, et celle-ci n'avait fait que croître. À quarante-huit ans, Alexandra éblouissait encore plus qu'à vingt ans. Sa bonne humeur perpétuelle se propageait à ceux qu'elle fréquentait, à commencer par lui : sans elle, il aurait sombré dans une mélancolie dont il n'ignorait pas être pourvu.

Il aimait son épouse bien plus qu'au premier jour. Oreste et Électre avaient hérité de sa beauté. « Si j'avais tout réussi comme mon mariage, je serais le plus heureux des hommes », pensait-il.

Il n'était pas loin de l'être. Hélas, la fortune n'avait pas suivi. D'avoir été si tragiquement honnête dans la direction du richissime Ravenstein, il n'était pas devenu le millionnaire qu'un être moins scrupuleux serait devenu à sa place.

Retraité depuis trois ans, il avait eu beau restreindre son train de vie, il n'avait pas pu empêcher l'inéluctable : il fallait vendre le château.

– Si seulement nous savions à qui ! disait-il.

En cette période de crise, presque tout ce que le gotha comptait d'honnêtes gens vendait leur château : les Kettenis avaient vendu Merlemont, les Nothomb vendaient le Pont d'Oye, etc. Neville espérait que le Pluvier connaîtrait l'honorable destin de Merlemont, qui avait été racheté par une autre famille de la noblesse belge : comme l'immense majorité des familles de ce milieu étaient apparentées, les Kettenis n'avaient pas eu l'impression de perdre leur fief.

Mais encore fallait-il qu'une personne respectable veuille du Pluvier. Ce n'était pas gagné. Le Pluvier n'avait pour lui que sa beauté et sa grâce.

Pour le reste, un regard suffisait à diagnostiquer ce qui n'allait pas : la toiture s'effondrait, la bâtisse respirait l'inconfort et la fragilité. Autant chercher à marier une jeune fille qui n'aurait été que ravissante. « Cela se négocie », songeait Neville pour se donner du courage.

Hélas, il savait que cela ne dépendrait pas de son bon vouloir. Si le seul acheteur qui se présentait était un caïd de la mafia russe, il ne serait pas en position de faire le difficile. Il se rassurait en pensant qu'un obscur château perdu au fin fond des Ardennes belges ne risquait pas d'intéresser d'interlopes Moscovites.

Sa pire terreur demeurait que le Pluvier soit racheté par une chaîne de fast-food qui raserait les vieux murs et la forêt pour construire un restaurant, un parking et une aire de jeux à la gloire de Disney.

Neville se réveillait parfois au milieu de la nuit, le corps inondé de sueur à cette idée. Son désarroi était alors si profond que, pour en sortir, il imaginait la garden-party du 4 octobre : oui, la dernière fête qu'il donnerait au Pluvier serait magnifique. Elle aurait la déchirante splendeur d'un chant du cygne. Il ferait beau, comme toujours le premier dimanche d'octobre dans cette région. Les hêtres auréolant les murs du château arboreraient ce commencement de rousseur qui toucherait davantage qu'une jeunesse absolue. La lumière automnale sublimerait l'ineffable couleur coq-de-roche de la façade, celle que les acheteurs potentiels assassinaient toujours d'un expéditif « Faudra repeindre ! » qui inspirait à Neville un désir de meurtre.

Le mot revenait. « Lors de cette réception, vous allez tuer un invité », avait dit la voyante.

« Cette prédiction me rappelle quelque chose », pensa Henri. Soudain, il se souvint d'un conte d'Oscar Wilde qui racontait une histoire similaire. La bibliothèque du Pluvier était si désordonnée qu'y retrouver un livre relevait du miracle.

Neville préféra se rendre à la librairie du village. Sur le catalogue Folio, il repéra le titre d'Oscar Wilde : *Le Crime de lord Arthur Savile*. Le libraire en possédait un exemplaire. De retour chez lui, Henri s'isola avec le livre qu'il dévora. Dans sa jeunesse, il l'avait lu avec hilarité : il comprenait à présent la gravité de cette affaire.

Sur le point d'épouser la belle Sybil dont il était éperdument amoureux, lord Arthur Savile lors d'une soirée à Londres se fit lire les lignes de la main par un chiromancien renommé qui lui annonça qu'il allait commettre un crime. En proie au désespoir, lord Arthur erra toute la nuit avant d'ajourner son mariage. Il lui fallait se débarrasser de la sale besogne avant d'unir son destin avec celle qu'il aimait. On ne racontera pas ici les péripéties de ce noble anglais, pris entre les exigences contraires du devoir, de l'étiquette et de l'amour afin de préserver le plaisir de lecture des intéressés que l'on espère nombreux.

« Et dire que j'ai ri de ce pauvre lord Arthur ! » songea Neville en refermant le livre. « En plus, mon cas est mille fois pire que le sien. Lui apprend seulement qu'il va devoir tuer quelqu'un. Ce qui peut arriver à n'importe qui, par accident ou pour mille autres raisons très défendables. Moi, je vais tuer un invité pendant la réception que je donne ! »

Pour avoir dirigé le Ravenstein durant quarante-deux années, Henri possédait l'art de recevoir. Au cercle, ses fonctions consistaient surtout à organiser des cocktails : on se rendait au Ravenstein même si l'on se souciait du golf comme d'une guigne. Donner rendez-vous au Ravenstein, c'était le comble du chic. Le restaurant du club avait grande réputation et l'atmosphère du bar dégageait un charme suranné. Mais le clou, c'étaient les jardins, et Neville était passé maître dans la tenue si particulière des garden-parties.

À la fin de sa carrière, il avait calculé qu'il avait reçu mille personnes par mois. Pour cette raison, il était naturel qu'il ait développé une haute mythologie de l'invité. Au sein de l'espèce humaine, Henri considérait les invités comme les élus.

L'invité était celui que l'on espérait et attendait chez soi depuis toujours, dont la venue était préparée avec une attention extrême : il fallait préméditer les occasions de lui plaire et éviter ce qui pourrait lui être source du plus léger désagrément. Pour cette raison, il fallait le connaître, se renseigner à son sujet, sans pousser trop loin l'examen, de peur de témoigner d'une curiosité déplacée.

S'il n'avait été question que de choix alimentaires ou de goûts particuliers, cette orchestration eût déjà été difficile. Mais l'essentiel demeurait la compagnie : il fallait que les autres invités soient à l'unisson de l'invité. L'étude des compatibilités relevait de l'entomologie : parfois, on pouvait croire que tel invité se réjouirait de la présence de tel autre et découvrir lors de la réception qu'ils se haïssaient, soit que ce sentiment se soit brusquement révélé, soit que l'on ait manqué un épisode dans leurs relations, ce qui constituait en soi une faute.

Tout cela apparentait l'invité à une sorte de

messie. Le culte qui lui était dû s'avérait autrement compliqué que celui réservé au Christ : si les commandements de ce dernier étaient relativement clairs, ceux de l'invité échappaient toujours à l'hôte le plus scrupuleux, sans faire de lui un juge plus indulgent en cas de manquement. Si vous disiez innocemment : «Cher ami, avez-vous lu le dernier roman de Modiano ?» il pouvait vous répondre : «Voyons, combien de fois vous ai-je répété que je ne lis jamais de roman ?» Vous vous étiez alors rendu coupable d'oubli de conversation antérieure.

La sanction, si ce genre d'impair se produisait trop souvent, était alors imminente : l'invité donnait des signes de déplaisir. Il n'appréciait qu'à demi votre réception et peut-être même votre personne. Vous n'aviez pas assez bien préparé sa venue, ce manque de tact pouvait vous être fatal et vous pouviez vous estimer heureux s'il acceptait une nouvelle invitation. Encore quelques fautes de cette espèce et vous recevriez le terrible carton : «Le baron F. de C. vous remercie vivement pour votre aimable invitation. Hélas, un engagement antérieur ne lui permet pas d'accepter… » Et vous apprendriez que le soir où vous aviez l'intention de le recevoir, le baron avait accepté une invitation qui lui était arrivée après la vôtre.

Henri trouvait choquant que l'on puisse parler d'hôte de marque. Cet horrible pléonasme laissait supposer qu'un invité aurait pu bénéficier d'un moindre statut. Bien sûr, il savait que l'on ne reçoit pas le roi comme on reçoit ses amis d'enfance. Pour autant, il accueillait chacun avec les égards dus aux satrapes de l'Antiquité.

Par bonheur, tant d'efforts n'avaient pas été vains. Neville était passé maître dans l'art de rendre ses invités heureux. Son meilleur professeur en la matière avait été le roi Baudouin qu'il avait reçu au Ravenstein au début des années quatre-vingt. Pendant cette soirée mémorable, il avait intensément observé le comportement du roi. Celui-ci s'adressait à chaque personne comme s'il s'agissait de l'être qu'il espérait rencontrer depuis toujours : il buvait ses paroles avec l'attention la plus fervente qui se puisse concevoir. Neville fut bouleversé par une aussi noble déférence et se promit de n'avoir jamais d'autre inspirateur, non qu'il se crût capable de l'égaler, mais parce qu'il lui avait été donné d'entrevoir le Graal de l'entregent.

Dès lors, la prédiction de Rosalba Portenduère équivalait pour lui à l'anéantissement de sa foi et de son art. Autant avertir un chef cuisinier qu'à sa prochaine prestation importante, il allait rater le plat qui l'avait élevé au rang de légende. Pire : il allait servir un mets empoisonné qui tuerait la star de la critique gastronomique.

Si l'un de ses amis s'était vu adresser une prophétie semblable et l'avait racontée à Henri, celui-ci aurait éclaté de rire et lui aurait dit avec la dernière conviction de ne pas croire à ces histoires de bonne femme. Malheureusement, il était comme presque tout le monde : il ne croyait les prédictions que si elles le concernaient. Même le sceptique le plus cartésien croit son horoscope.

– Qu'est-ce que j'apprends ? dit Alexandra en entrant dans le bureau de son mari. Sérieuse a fait une fugue ?

– Je l'ai vue par la fenêtre il y a moins d'une minute.

– Pas maintenant. La nuit passée. Je t'en prie, Henri. La voyante vient de me téléphoner.

– Quelle gale !

– Pourquoi ? Parce qu'elle a sauvé notre fille ?

– Elle ne l'a pas sauvée, Sérieuse voulait expérimenter une nuit à la belle étoile.

– Ne me dis pas que tu encourages ce genre d'initiative.

– Je ne désapprouve pas. À son âge, je faisais pareil.

– C'est dangereux.

– Beaucoup moins qu'une sortie en ville. Et pour une fois que Sérieuse a une attitude de son âge, je regrette que cette madame Portenduère l'ait entravée.

– Tu aurais préféré que la petite passe la nuit entière dans la forêt ?

– Oui. C'est formateur et poétique. Et cette bonne femme qui m'appelle le lendemain pour m'annoncer la fugue de notre enfant ! Quel vocabulaire idiot !

– Cela ne t'a pas inquiété ?

– Mais si, précisément. Une fugue, on s'imagine tout de suite quelque chose de très grave. Sérieuse m'a raconté sa version des faits. N'écoute pas cette voyante, je t'en prie. Tristan et Iseult avaient l'âge de notre fille quand ils se retrouvaient la nuit dans la forêt.

– Si seulement il y avait un Tristan !

– Cela viendra.

Alexandra quitta le bureau en soupirant. Le

comte et la comtesse partageaient une déception profonde au sujet de leur troisième enfant.

Sérieuse avait été pourtant leur plus grande fierté. On n'avait jamais vu une petite fille aussi vive, intelligente et joyeuse. Elle n'était pas belle comme ses aînés mais elle était formidable. Elle revenait de l'école avec des résultats mirobolants, multipliait les déclarations fracassantes, écrivait des pièces de théâtre dans lesquelles elle faisait jouer tous les élèves de sa classe, il semblait ne pas y avoir de limites à son appétit de vivre.

En plus de cela, elle était affectueuse avec les siens, cajolait ses parents et sa sœur, taquinait son frère avec une malice adorable, bref, on n'avait jamais vu une enfant si attachante, on lui prédisait un avenir retentissant.

Et puis, à douze ans et demi, du jour au lendemain, sans motif décelable, Sérieuse s'était éteinte. On ne l'avait plus entendue. Elle était devenue morne, timorée, solitaire, dépourvue d'élan vital. Ses résultats scolaires, d'excellents, étaient passés à médiocres. Plus grave : elle semblait ne s'intéresser à rien. Elle ne quittait plus sa chambre, où elle lisait en permanence les classiques, avec un air vide.

Alexandra avait demandé à sa fille s'il lui était arrivé quelque chose. Avec ennui, elle avait répondu que non. Comme sa mère insistait, elle avait fini par dire que grandir la fatiguait. La comtesse n'avait pas approfondi et avait rapporté ces paroles à son époux.

– Qu'en penses-tu ? avait-il demandé.

– Parfois, l'adolescence gâche certains enfants. Ma sœur Béatrice, jusqu'à ses douze ans, était pétulante, rigolote, brillante. Comme notre Sérieuse, à la puberté, elle est devenue la triste personne que tu connais.

Henri avait été frappé par la désinvolture avec laquelle sa femme racontait cette métamorphose. L'idée que sa fille chérie se mue en une créature dépressive comme sa tante Béatrice l'avait épouvanté. Il avait préféré ne pas poursuivre cette conversation et conserver un espoir que Sérieuse échappe un jour à ce qui ressemblait à une malédiction.

C'est aussi pour cela que la prétendue fugue de la jeune fille lui inspirait de la sympathie. Pour la première fois depuis cinq années, l'adolescente donnait un signe de vie. Henri voulait y voir un réveil.

Décidément, cette voyante l'horripilait : elle interrompait l'aventure de Sérieuse, elle prédisait qu'il tuerait un invité pendant la garden-party, elle rappelait pour avertir Alexandra que sa fille avait fugué. De quoi se mêlait-elle ? On ne lui avait rien demandé.

Irrité, il saisit un bristol et écrivit à l'adresse de Rosalba Portenduère :

*Madame,*

*Vous avez appelé mon épouse. Je vous saurais gré de ne pas recommencer.*

*Par ailleurs, si vous deviez à nouveau croiser ma fille dans la forêt après minuit, sachez qu'elle a mon autorisation pour se conduire ainsi et laissez-la tranquille.*

*J'ajouterais que vos prédictions ne sont pas les bienvenues.*

*Croyez en mes ressentis agacés,*

*Henri Neville*

Il posta ce courrier avec la satisfaction du devoir accompli.

« Pourquoi a-t-on inventé l'enfer alors qu'il existe l'insomnie ? » se demandait le comte.

Il s'était couché à minuit, réveillé une heure plus tard couvert d'une sueur glacée, et pas rendormi depuis. À quatre heures du matin, supplicié par l'angoisse, il se leva, enfila un paletot par-dessus son pyjama et sortit.

« Et dire que je regretterai ce jour ! Nous voici en octobre. C'est le dernier mois de ma vie que j'écoulerai au Pluvier. Si seulement je n'étais pas aussi attaché à cette maudite bâtisse ! »

Il marcha jusqu'au bout du parc et s'assit sur un banc trempé de rosée. Le château lui faisait face dans la nuit encore noire. Henri le connaissait au point de le distinguer mieux ainsi qu'après le lever du soleil.

« Oui, mon plus vieil amour, je vais t'abandonner. Si j'avais été malhonnête, j'aurais eu mille occasions de m'en mettre plein les poches et je ne serais pas obligé de te vendre. Je sais que tout le monde me trouve ridicule, mais à mes yeux l'honneur ne tolère pas le vol. »

La forêt obscure l'environnait de silhouettes qu'enfant il comparait à des soldats. Une armée n'eût pas été de trop pour empêcher les envahisseurs de venir saccager ces lieux sacrés.

« La vie de château ! Si les gens savaient en quoi cela consiste ! À cause de toi, mon aimé, j'ai crevé de faim jusqu'à mes dix-huit ans, j'ai crevé de froid tous les hivers, et Dieu m'est témoin qu'ici l'hiver dure la moitié de l'année ! On a raison de dire que la haine est proche de l'amour. Je t'ai haï quand ma sœur Louise est morte presque sans soins à l'hiver 1958, j'avais douze ans et elle quatorze, nous n'avions pas le droit de prononcer le nom de sa maladie mais la malnutrition et le froid l'avaient aggravée, avant l'âge adulte je n'ai jamais mangé de viande rouge, faut-il préciser que ce n'est pas cela qui m'a brisé le cœur, et pourtant mon père Aucassin aimait Louise d'amour fou, il était simplement incapable de changer de vie, de ne pas tout sacrifier aux apparences, de ne pas recevoir fastueusement la Belgique noble une fois par mois, même s'il fallait crever de misère le reste du temps. »

Henri se rappela en frissonnant la famille réunie autour du corps glacé de Louise, sa mère qui gémissait, les petites sœurs qui regardaient sans comprendre, et son père en pleurs lui disant : « C'est toi mon aîné à présent. »

« Je ne suis pas comme Aucassin. Même si l'art de recevoir m'obsède, je ne t'ai jamais sacrifié le bien-être des miens. Après la mort de Louise, j'ai essayé de me dégoûter de toi, mon plus vieil amour, assassin de ma sœur, et je n'y ai pas réussi. T'habiter, ce n'est pas vivre, c'est te défendre : te défendre comme des assiégés défendent une citadelle. Voilà ce que j'ai compris à douze ans.

Louise était morte dans la bataille qui durait depuis que les Neville avaient jeté leur dévolu sur cette terre du Pluvier. J'ai tenu bon ce siège de ma naissance à aujourd'hui. À soixante-huit ans, je perds une guerre qui a commencé avant moi. »

Il avait pourtant aimé son enfance en ces lieux. Avec Louise, comme ils avaient joué dans les galeries souterraines, comme ils avaient exploré l'immense forêt ! Aucassin était avocat. Aux assises d'Arlon, il s'était illustré en défendant une empoisonneuse. Lors du procès, en une plaidoirie devenue célèbre, il avait eu recours à un argument hors normes :

– Messieurs les jurés, je suis persuadé de l'innocence de cette femme et je vous en donne la preuve : si vous la graciez, je prête serment devant vous de l'engager comme cuisinière pour mes quatre enfants.

Très frappé, le jury d'assises décréta à l'unanimité que l'accusée n'était pas coupable et Aucassin tint parole : Carmen Euvelot reçut le titre de cuisinière du Pluvier. Pour prestigieux qu'il fût, ce poste ne l'occupa guère : il n'y avait presque rien à cuisiner. Sans métaphore, les Neville se nourrissaient de pain sec et d'eau. Une fois par mois, Carmen préparait des petits-fours luxueux pour de somptueuses garden-parties. Cela lui trouait le cœur de voir les quatre enfants au bord de tourner de l'œil en regardant les canapés auxquels ils n'avaient pas le droit de toucher.

Lors des réceptions, les invités s'émerveillaient de la sveltesse de leurs hôtes. Sans vergogne, Aucassin disait :

– C'est la maigreur Neville. Bon sang ne saurait mentir.

Que cette déclaration fût contredite par les portraits d'ancêtres gros et gras sur les murs de chaque pièce ne le dérangeait pas.

Henri conservait pourtant un souvenir extatique de ces mondanités parce que, quand les invités étaient partis, les enfants avaient la permission de se jeter sur les restes. C'était la curée.

Jusqu'à ses dix-huit ans, il n'avait jamais

mangé d'œufs, de poisson ou de jambon que sur des canapés, une fois par mois. Ces aliments lui paraissaient pharaoniques, il en rêvait la nuit.

Il entendait encore Louise lui dire :

– Prends le saumon et le jambon et laisse-moi les œufs, c'est ce que je préfère !

Longtemps après sa mort, il garda l'habitude de délaisser les canapés aux œufs destinés à la grande sœur dont il se sentait le veuf.

À dix-huit ans, Henri partit étudier le droit à l'université de Namur. À la cantine, il découvrit que l'on pouvait s'empiffrer de plats dont il ignorait l'existence et il ne s'en priva pas. Ses condisciples le regardaient avec mépris :

– Comment peux-tu bouffer de cette merde dont même les chiens ne voudraient pas ?

Henri s'en fichait. Ne plus avoir continuellement faim valait bien quelques moqueries. Ce fut à cette époque qu'il devint aimablement rondouillard. Il le resta.

Par la suite, combien de fois s'entendit-il dire par des tiers :

– Vous qui n'avez jamais eu faim, vous ne savez pas ce à quoi la pauvreté accule…

Neville ne répondait jamais à ces propos. Aucassin ne lui aurait jamais pardonné d'avouer la vérité. Pour expliquer la mort de Louise, la famille parlait d'une méningite foudroyante. La méningite présentait l'avantage de ne pas suggérer la misère, contrairement à la maladie innommable.

Au cours de cette dernière insomnie, le comte avait revécu tout cela jusqu'à la tentation de la haine.

« Qui haïr ? Mon père, le château ? Qui possédait qui ? Qui a tué ma sœur ? Mon père était le produit de son milieu, il n'était pas capable d'inventer une autre vie que celle pour laquelle on l'avait élevé. Adolescent, je l'ai maudit, mais je n'ai pas choisi une autre route que la sienne. J'ai eu une carrière plus prestigieuse, les miens n'ont pas connu la misère : cela dit, à l'exemple d'Aucassin, je me suis toujours conduit comme si le but de l'existence consistait à recevoir ses pairs. »

Son père sombre, taciturne, coléreux, se transformait lors des réceptions en un homme prolixe et disert, souriant et gracieux ; sa mère timorée se muait soudain en une femme du monde, bien habillée, pleine d'aisance. Enfant, pour tous ces motifs, il adorait les garden-parties. Louise aussi, qui les appelait les jours de folie.

Elle se glissait alors le matin dans le lit de son petit frère et disait :

– Réveille-toi, aujourd'hui est jour de folie. Je vais mettre ma belle robe et toi ton beau costume, maman va me coiffer Il y aura des chandeliers et des fleurs, de la musique, je serai la princesse et toi le prince. Et quand les invités seront partis, nous mangerons les meilleures choses de l'univers !

Henri avait hérité d'Aucassin l'art de recevoir, c'est-à-dire de transformer une simple mondanité en une extravagante féerie où, l'espace de quelques heures, on devenait le superbe personnage que pour d'absurdes raisons on n'était pas au quotidien.

Pour avoir été souvent invité ailleurs, Neville s'était vite rendu compte de la rareté de ce talent : à quelques exceptions près, les autres grandes familles recevaient mal. On se retrouvait coincé dans des salons surchauffés, parmi des vieillards peints ou des rombières bruyantes, on devait se battre pour arriver à attraper un verre d'un vin douteux ou un bout de pain et une assiette en carton que l'on renonçait à remplir de mets sans prestige, on croisait des gens auxquels on avait honte d'être apparenté.

Ce n'était pas un hasard si la garden-party du Pluvier constituait le plus important événement mondain des Ardennes belges depuis si longtemps : pendant un dimanche après-midi, il devenait possible de croire que l'on appartenait à un milieu chimérique qui méritait le nom de noblesse, que le vers sublime « Ô saisons ! Ô châteaux ! » avait un sens, que la vie consistait en une danse pleine d'élégance avec de belles dames mystérieuses dont les pieds menus effleuraient à peine l'herbe des jardins.

Lui-même, pour ne pas être aussi double que son père, savait qu'en réception il excellait : il n'était plus cet homme trop sensible qui n'osait pas parler à sa propre fille, il devenait le comte Neville, un aristocrate estimé, à la conversation brillante, aux manières délicates, à l'humour exquis, capable de mettre à l'aise les convives les plus rétifs.

Il recevait bien parce qu'il aimait recevoir.

Pourtant, il connaissait l'horreur de la soirée qui ne prend pas, de l'esclandre causé par la présence d'un invité incompatible avec l'humeur du lieu. Mais quand l'harmonie préméditée s'accomplissait, Neville vivait le bonheur indicible du chorégraphe qui assiste à son ballet et se mêle aux danseurs, émerveillé d'avoir réussi à tramer de la beauté là où l'espèce n'avait prévu que l'originelle violence.

Fallait-il annuler la garden-party pour cause de prédiction d'assassinat ? Impossible. D'autant plus inenvisageable que ce serait l'ultime réception que le comte organiserait. On ne reçoit pas sans un lieu *ad hoc* : le Pluvier était idéal pour cela, tout comme le Ravenstein. Dorénavant, Neville serait privé de ses théâtres. Il ne recevrait certainement pas à l'Aumônière, humble maisonnette au jardin exigu.

La garden-party du 4 octobre 2014 serait son dernier chef-d'œuvre. À la manière de ces cinéastes qui annoncent avec fracas qu'après ce nouveau film ils ne réaliseront plus, le comte voulait marquer le coup.

« Hélas, si tu tues un invité pendant la réception, c'est en effet le résultat que tu atteindras, et ce sera ta dernière garden-party parce que après, tu seras en prison. » La perspective de l'incarcération le gênait infiniment moins que l'impair.

Soudain, il eut une idée qui lui parut exceptionnelle : il suffisait de choisir dès à présent qui il allait tuer. Mais oui ! Quand on reçoit des centaines de personnes, on ne les apprécie pas toutes. On en déteste même un certain nombre dont on envisage parfois la disparition avec délectation.

Cette perspective salvatrice le rendit si joyeux qu'il se leva pour esquisser quelques pas de danse. « Je déterre la hache de guerre », pensa-t-il.

Entre-temps le soleil s'était levé. Le Pluvier lui sembla plus sublime que jamais.

« Mon plus vieil amour, la dernière fête que j'offrirai sous ton règne rentrera dans l'histoire », murmura le comte au château.

Il rentra, prépara un petit déjeuner qu'il monta sur un plateau à son épouse, encore endormie.

– Tu es le meilleur des maris, dit-elle en souriant.

– Je veux le devenir encore davantage, ma chérie. Dis-moi, y aurait-il un de nos invités du 4 octobre que tu souhaiterais voir périr ?

– Tu songes à décommander un invité, amour ?

– Au contraire.

Alexandra s'assit dans le lit et se versa une tasse de café.

– Quand nous sommes allés à la soirée des Wouters, le mois passé, Charles-Édouard van Yperstal a eu le culot de me dire que j'étais encore belle. Cet « encore » m'est resté sur l'estomac.

– Quel mufle !

– Tu as invité Charles-Édouard ?

– Le moyen de faire autrement ?

– Eh bien, tu as ta réponse.

Henri s'installa à son bureau et compulsa la liste des invités du 4 octobre. Il y avait là des gens qu'il détestait cordialement. Il retenait la suggestion de sa femme par esprit chevaleresque, mais Charles-Édouard van Yperstal lui paraissait quelqu'un de plutôt sympathique, comparé à des Gérard de Malmédy-Strohange ou des van Steenkist de Buscheere.

Il cocha au crayon chaque nom qu'il exécrait. Ensuite, il consulta le résultat et compta vingt-cinq individus abjects. Cela lui sembla peu.

«Je suis de ceux qui aiment, non de ceux qui haïssent», pensa-t-il, prenant plaisir à citer l'Antigone de Sophocle en ce contexte.

Parmi ces vingt-cinq personnes, il fallait qu'il élise le plus odieux. Cléophas de Tuynen obtint ce titre.

Assassiner Cléophas !!! Comme cela le défoulerait ! Cléophas de Tuynen avait longtemps été le trésorier du Ravenstein, ce qui rendait sa présence inévitable aux mondanités de Neville. Une rivalité inavouée l'avait opposé à Henri qu'il rêvait de remplacer, ce qui n'avait jamais été possible puisqu'ils avaient le même âge. Cléophas parlait du nez, ce qui donnait à ses moindres propos une tonalité narquoise bien qu'il ne possédât aucune appétence pour le second degré. Si on tentait de lever ce lièvre, il affirmait qu'il avait des végétations. Ainsi, on ne pouvait pas se moquer de lui, ce qui le rendait encore beaucoup plus haïssable.

Assassiner Cléophas donnerait un sens à son existence. S'il n'avait rien commis d'indigne, il n'avait rien accompli d'insigne. Tuer Cléophas de Tuynen lors de la dernière garden-party du château du Pluvier parachèverait avec retentissement la victoire du goût et de la distinction sur l'esprit de lucre et de l'envie.

On dirait : « Le comte Neville, oui, Henri Neville, celui qui a envoyé *ad patres* l'exécrable Cléophas de Tuynen à l'occasion d'une fête splendide. » N'y aurait-il pas quelque chose d'admirable à assurer à ce meurtre un tel retentissement ? Plutôt que de liquider quelqu'un petitement, en secret, sans éclat, comme si on avait honte ou peur des conséquences.

Lui qui s'inquiétait de ce que serait son quotidien quand il habiterait l'Aumônière se sentit libéré de cet avenir lilliputien. Il y aurait un procès, il irait en prison. Alexandra viendrait lui rendre visite, plus amoureuse que jamais. Il fallait qu'il se l'avoue, jusqu'ici c'était lui le plus épris, elle l'aimait, certes, mais il aurait voulu qu'elle défaille d'amour, c'était le moyen d'y arriver, il voyait déjà Alexandra, vibrante, au parloir.

Mais comment s'y prendre pour tuer Cléophas ? Henri se rappela le fusil de chasse d'Aucassin qu'il avait caché dans le grenier de la tour d'angle. Il y courut, la 22 long rifle était bien là, chargée. Son père lui avait appris à s'en servir : « Un gentilhomme doit chasser », disait-il. Le paisible Henri ne chassa jamais.

« Pendant la réception, je monterai ici et par le croisillon, je viserai la tête de Cléophas. » Cela ne devrait pas présenter de danger : Cléophas avait tendance à avoir des reflux gastriques après quelques flûtes de champagne et il s'écartait toujours un peu du groupe pour les faire passer. Henri en profiterait pour tirer sur son ancien trésorier.

En proie à une ébriété croissante, fragilisé par l'insomnie, son pauvre cerveau, guetté par la vieillesse et le sentiment d'irréalité, trouvait ce plan éblouissant.

Il redescendit, croisa Alexandra dans l'un des salons en enfilade et l'étreignit avec une fougue particulière.

Oreste Neville, vingt-deux ans, porterait le titre à la mort de son père. C'était le gendre idéal de la Belgique noble : beau, grand, mince, un diplôme d'ingénieur, une politesse parfaite, la parole juste, une gentillesse tempérée par une aimable tendance à la moquerie.

Électre Neville, vingt ans, était le plus merveilleux parti du gotha : ravissante, svelte, gracieuse, souriante, joyeuse, un diplôme de lettres, un humour ravageur et un authentique génie culinaire qui l'amenait à passer des nuits entières dans les cuisines du château pour édi fier un temple grec de meringue ou une abbaye cistercienne de sucre filé.

Comme si tant de vertus ne suffisaient pas,

Oreste et Électre avaient une qualité étrange qui les rendait encore plus étincelants : ils étaient les meilleurs valseurs de Belgique. On les invitait à tous les bals de la noblesse et à tous les cours de danse, où ils servaient d'exemple. « Personne ne guide avec une fermeté aussi élégante qu'Oreste, personne ne suit avec une grâce aussi piquante qu'Électre », disait le professeur à l'adresse des débutants. Le couple frère-sœur adorait revêtir de beaux atours et aller valser dans des palais anversois ou des manoirs brabançons pendant des nuits entières.

Même la mise en vente du Pluvier n'avait pas réussi à diminuer la cote d'Oreste : « Le jour où ce garçon se mariera, les jeunes filles de la haute porteront le deuil », disait-on. Il était le seul à ne pas sembler s'en apercevoir et demeurait d'une modestie qui lui conférait un charme rare.

Quant à Électre, un prestige si extraordinaire l'entourait qu'elle en devenait presque inaccessible. Elle était, elle aussi, l'unique à ne pas se rendre compte de ce qu'il pouvait y avoir de choquant dans son excès de beauté : son interminable chevelure couleur miel de châtaignier, sa silhouette de ballerine et son visage de madone l'apparentaient bien davantage à une fée qu'à une demoiselle à marier.

Par conséquent, Oreste et Électre étaient célibataires. À vingt-deux ans et vingt ans, quoi de plus normal ? Mais lors des fêtes, ils demeuraient plutôt isolés. Les jeunes gens et les jeunes filles allaient retrouver Sérieuse, assez insignifiante pour servir de confidente, et lui disaient : « Ta sœur ! » ou « Ton frère ! » avec des accents déchirants.

Sérieuse répondait : « Elle vous attend » ou « Il vous attend » et on ne l'écoutait pas. Elle-même était la plus profonde admiratrice de son frère et, surtout, de sa sœur. Elle n'aimait rien tant qu'assister à la mise en beauté d'Électre. Celle-ci se laissait regarder de bonne grâce par sa petite sœur tandis qu'elle se parait. Quand l'œuvre d'art était achevée, elle se tournait vers Sérieuse qui disait :

– Veux-tu m'épouser ?

– Tu es la seule à me demander ma main.

– Tu es aveugle, Électre. Ils sont tous fous de toi et n'osent pas t'approcher.

– Pourquoi ?

– Parce que tu es idéale et qu'ils sont médiocres. Je les ai observés. Ils n'ont aucun problème pour courtiser des filles à peine jolies. Ils viennent me bassiner, la voix tremblante, au sujet de ta splendeur, et puis ils attrapent une Marie-Astrid ou une Anne-Solange qui passait par là.

– Qui me conseilles-tu ?

– Épouse-moi.

Le cas d'Oreste différait, puisque l'initiative lui revenait. Quand il abordait une demoiselle, celle-ci devenait immédiatement stupide, soit qu'elle le fût déjà, soit que le prestige du jeune homme lui en imposât trop. Lorsqu'il valsait avec Électre, il lui disait :

– Tu n'es pas seulement la plus belle, tu es aussi la plus intelligente. Veux-tu m'épouser ?

– À part mon frère et ma sœur, personne ne veut se marier avec moi.

– On devrait se marier tous les trois.

– Je ne suis pas sûre que Sérieuse veuille de toi, mon pauvre Oreste.

– Je ne suis pas sûr de vouloir d'elle non plus.

– Tu ne vas me dire des méchancetés sur ma petite sœur, toi.

– Quel dommage qu'elle ne soit pas laide ! Cela lui donnerait un peu de caractère !

– Arrête. Elle a du caractère à revendre.

– C'est insoupçonnable.

– Au moins, tu reconnais qu'elle n'est pas laide.

– Elle n'est pas belle non plus.

– Elle n'a que dix-sept ans.

– Toi, à seize ans, tu étais déjà mortellement belle.

– Un jour, Sérieuse nous étonnera.

– Tu veux dire qu'un jour, elle cessera d'avoir l'air vide ?

– Quand elle est avec moi, elle n'a pas cet air-là.

– Elle ne va pas vivre avec toi toute sa vie.

– Qu'est-ce que tu en sais ?

– Cesse de parler comme une laissée-pour-compte.

Électre pensait que vivre avec Sérieuse ne lui déplairait pas. Les rares fois où elle avait connu une ébauche de flirt avec un Jehan-Sébastien ou un Pelléas, elle avait cru mourir d'ennui. Avec sa petite sœur, elle s'amusait beaucoup. Elle avait remarqué, comme les autres, que Sérieuse avait radicalement changé à l'âge de douze ans et demi, mais elle ne la trouvait pas moins exceptionnelle qu'auparavant.

Le projet qui, au matin, avait enthousiasmé le comte Neville jusqu'à l'ivresse, l'après-midi, lui parut douteux. Que Cléophas mérite la mort ne faisait pas mystère. De là à l'assassiner pendant la garden-party ! Et comment avait-il pu penser qu'Alexandra l'admirerait pour cela ?

Histoire d'en avoir le cœur net, il appela Évrard Schweringen, qui savait tout, absolument tout sur l'histoire de l'aristocratie belge depuis 1830.

– Mon cher Évrard, j'ai besoin de tes lumières. Y a-t-il un précédent en matière d'assassinat au cours d'une réception, dans notre milieu ?

– Il y en a beaucoup. Je ne pourrais pas tous te les citer, mon cher Henri.

– Détail qui a son importance : y a-t-il un cas où l'assassin était celui qui recevait ?

– Bien sûr. Le prince de Retors-Carosse a tué le duc de Moilanwez lors du cocktail qu'il offrait en l'honneur de la fête du roi, la baronne de Bernach a tué la vicomtesse de Lambertye pendant un bal de charité qu'elle donnait chez elle, etc. Là aussi, les cas abondent. Il est plus rare que l'invité tue l'hôte : c'est plus difficilement défendable. Alors que l'hôte qui tue l'invité, tout le monde peut le comprendre.

– Tu veux dire qu'il n'y a pas eu de conséquences ?

– Que vas-tu imaginer ? La justice a sévi, bien sûr.

– Je voulais parler de l'opinion. Comment notre monde a-t-il traité ces assassins ?

– Notre monde a très bien compris et a continué de recevoir ces gens et leur famille.

– Comment recevoir des personnes qui sont en prison ou sur l'échafaud ?

– En leur envoyant des cartons d'invitation à leur nom.

Ébahi, Henri garda le silence.

– J'ai encore besoin de tes lumières, reprit-il. Pour ces meurtres que tu m'as cités, y avait-il eu préméditation ?

– Non, évidemment.

– Pourquoi évidemment ?

– S'il y avait eu préméditation, notre monde eût trouvé cela inadmissible. Tuer un invité dans un instant de colère, cela sent sa classe, c'est chic. Préméditer l'assassinat d'un invité, c'est prouver, avec la dernière grossièreté, que l'on ignore l'art de recevoir.

– N'as-tu pas un précédent à me citer ?

– Dans notre milieu ? Tu déraisonnes, mon cher Henri.

– Et si la préméditation était cachée dans l'un des cas dont tu m'as parlé ?

– La préméditation est impossible à cacher. On ne tue jamais de la même façon quand on préméditе. Rien n'est plus facile à démontrer que la préméditation.

– Donc, si l'un d'entre nous tuait un invité avec préméditation, que se passerait-il ?

– Tu le sais aussi bien que moi : nous ne le connaîtrions plus. Nous ne l'inviterions plus ni lui ni sa famille proche, à nos réceptions.

Neville resta abasourdi par la cruauté d'une telle sanction.

– Pourquoi ces questions, mon cher Henri ?

– Comme tu le sais, je prépare la garden-party pour ce dimanche, et j'avais le projet de t'assassiner, mon cher Évrard.

– Je te reconnais bien là. À dimanche, cher ami, je me réjouis de te revoir.

Neville raccrocha, prit son visage entre ses mains et tira un trait sur le meurtre de Cléophas de Tuynen.

« Je me retrouve à la case départ. Quelle situation ! Quel cauchemar ! »

À l'âge de huit ans, Henri avait posé une question terrible à son père. Ce n'était pas : « Est-ce que le Père Noël, c'est les parents ? » Ce n'était pas non plus : « Comment fait-on les bébés ? » C'était beaucoup plus grave : « Papa, être noble, qu'est-ce que ça veut dire ? »

Aucassin avait tourné vers lui un regard pénétrant.

– À ton avis, mon fils, qu'est-ce que cela signifie ?

– Je ne sais pas.

– Réfléchis.

L'enfant hasarda :

– Vivre dans un château ?

– Mais non, voyons ! répondit le père avec mépris.

Humilié, le petit garçon se demanda pourquoi, dans ces conditions, on se saignait aux quatre veines pour habiter le Pluvier.

– Réfléchis encore ! ordonna Aucassin.

– Être d'une bonne famille ?

– Ça ne suffit pas.

Henri baissa la tête, plein de confusion.

Le père finit par déclarer d'une voix menaçante :

– Être noble, mon fils, cela ne signifie pas qu'on a plus de droits que les autres. Cela signifie qu'on a beaucoup plus de devoirs.

L'enfant s'en alla, terrifié. Il se roula en boule sur son lit en se répétant : « Être noble, ça ne signifie pas qu'on a plus de droits que les autres, ça signifie qu'on a beaucoup plus de devoirs », comme un mantra dont la signification lui échappait mais que l'ardeur à le psalmodier rachetait.

Quatre ans après, Louise mourut. Ce fut vers cette époque que, sans s'en rendre compte, Henri changea le mot d'ordre dans sa tête : « Être noble, ça signifie avoir moins de droits que les autres et avoir beaucoup plus de devoirs. »

Louise était la personne qu'il aimait le plus au monde. À l'école du village, Henri fréquentait des enfants qui n'étaient pas nobles : ils mangeaient bien, ils habitaient des maisons bien chauffées, ils allaient chez le médecin quand ils étaient malades. Par conséquent, leurs grandes sœurs ne mouraient pas. Inconsciemment, Henri comprit qu'être noble, cela signifiait perdre la personne aimée.

Mais la formule d'Aucassin regorgeait d'ambiguïtés : où cessaient les droits, où commençaient les devoirs ? C'est parce qu'elle n'avait pas eu droit à une nourriture suffisante, à une température acceptable et à une consultation médicale que Louise était morte ; c'est parce que le petit frère était noble qu'il avait eu le devoir de perdre sa grande sœur.

De tous les devoirs qui lui incombaient, celui-là avait été le plus inhumain. Les autres, pour être moins affreux, ne manquaient pas de l'asphyxier : il fallait en toute circonstance donner l'impression de la sérénité, de l'aisance, de la dignité, de la moralité, de cet édifice insensé de complexité qui constituait le paraître. Échouer au paraître pouvait se produire très facilement. On racontait que les Carton-Treize étaient allés visiter les serres de Laeken en famille ; comme ils étaient ruinés, à l'heure du déjeuner, ils avaient sorti de leurs poches des tartines emballées de papier d'aluminium, qu'ils avaient mangées sans se cacher. La sanction était tombée aussitôt : on ne les connaissait plus.

Henri vivait dans la hantise de faillir au paraître. Lui-même ne se serait jamais autorisé à ne plus connaître quelqu'un, à plus forte raison pour une histoire de tartines, mais il acceptait l'idée que les autres puissent ne plus le connaître pour un motif encore moins grave.

À cette anxiété permanente s'ajoutait un complexe de génération. Il existe une frontière temporelle, d'autant plus énorme qu'elle n'est pas officielle, qui sépare l'humanité en deux espèces qui pourraient bien ne jamais se comprendre. Arbitrairement, situons-la en 1975, tout en étant conscient d'une variabilité extrême de cette date en fonction des pays et des milieux. C'est la limite qui sépare les enfants nés pour séduire des enfants nés pour être séduits.

Les enfants de l'ancien monde n'avaient droit qu'à une portion congrue d'attention et d'affection, sauf s'ils s'efforçaient de séduire leurs parents ; les enfants modernes étaient dès leur naissance l'objet d'une tentative de séduction de la part de leurs parents – ces derniers n'ayant droit qu'à une portion congrue d'affection. C'était une révolution de point de vue : les enfants, qui dans l'ancien monde n'étaient qu'un moyen, étaient devenus la fin, le souverain but.

Henri, né en 1946, appartenait d'autant plus à l'ancien monde que l'aristocratie constituait un barrage à cette révolution : cette inversion de point de vue était interdite par les règles de dévolution nobiliaire. Par définition, l'enfant noble doit tout à sa naissance et donc à ses parents.

Pour donner un exemple, si Aucassin avait tué une perdrix à la chasse, cela ne signifiait pas que les enfants mangeraient de la volaille au dîner. Carmen cuisinerait le gibier, l'apporterait à table, d'abord à la comtesse, ensuite au comte, qui en se servant ne songeraient pas un instant à en laisser aux enfants, non qu'ils fussent de mauvais parents, mais parce que l'ancien régime les empêchait de penser à leur progéniture.

Alexandra, née en 1967, *a fortiori* dans la Belgique nobiliaire, appartenait elle aussi à l'ancien monde ; le statut de leurs trois enfants, nés en 1992, 1994 et 1997, était plus ambigu. Modernes par leur date de naissance, ils avaient été élevés selon le monde ancien par des parents que leur milieu avait rendus aveugles à cette révolution. Si Oreste et Électre s'accommodaient de cette ambiguïté, Sérieuse s'y était prise comme dans de la glu.

Au matin du 2 octobre, Neville n'avait toujours pas dormi. Deux nuits blanches de suite, c'était terriblement éprouvant pour cet homme de soixante-huit ans. Si seulement il avait pu se rassurer quant à la nuit suivante ! Mais il n'y voyait pas l'issue de son problème. Il n'y aurait donc pas de terme à son insomnie. « Le 4 octobre, je serai tellement épuisé que je ne serai pas en état ni de recevoir ni de tuer », pensait-il avec consternation.

Il se morfondait dans son bureau, le visage bouffi de fatigue, quand il entendit frapper à la porte.

– Entrez !

À sa surprise, il vit apparaître Sérieuse.

– Papa, je peux te parler ?

– Bien sûr. Assieds-toi, ma chérie.

C'était la première fois que la jeune fille demandait à être reçue dans le bureau de son père pour un entretien. Henri sourit.

– Quand la voyante t'a prédit que tu allais tuer l'un de tes invités, j'ai tout entendu.

Neville demeura abasourdi.

– J'étais dans la pièce d'à côté, je faisais semblant de dormir. Donc, je sais ce qui te préoccupe.

– Je ne suis pas préoccupé.

– Tu as perdu le sommeil, papa. Ça se voit.

– J'ai toujours eu des insomnies.

– Rien de commun. Et j'ai intercepté ta conversation téléphonique avec Évrard.

– En voilà des manières !

– Je sais. Cas de force majeure. Tu as besoin d'aide, papa.

– Je n'accorde aucun crédit aux prédictions de cette idiote.

– Ce n'est pas vrai. Tu n'arrêtes pas de te

demander qui tu vas tuer, tu es même allé chercher le fusil de chasse de grand-père.

– Tu m'espionnes.

– Cas de force majeure, je répète.

– Bon. Quelle aide me proposes-tu ?

– Il y a quelqu'un que tu pourrais tuer à la garden-party. Une personne à laquelle tu n'as pas pensé.

– Je t'écoute.

– Moi.

Ce fut dit si légèrement que le comte pouffa.

– Voilà une idée brillante, ma chérie. Tu m'es d'une aide précieuse.

– Je suis sérieuse.

– Tu fais de l'humour à 50 centimes, en plus. Cela suffit, va-t'en, j'ai autre chose à faire que de t'écouter.

– Papa, il faut que tu me tues.

– Qu'est-ce qui te prend ?

– Depuis que j'ai entendu la prédiction, je n'arrête pas d'y penser. Je me mets à ta place, ce doit être infernal pour toi. J'ai la solution.

– Je te croyais plus adulte et plus intelligente que cela.

– Toi aussi, tu accordes foi à cette prédiction, papa. L'intelligence n'est pas en cause.

– Comment peux-tu imaginer un quart de seconde que je te tue, Sérieuse ?

– Parce que j'en ai besoin.

Henri ouvrit des yeux horrifiés.

– Qu'est-ce que tu racontes ?

– Je ne vais pas bien, papa.

– Tu es malade ?

– Non. Depuis quelques années, dans ma tête, je ne vais pas bien.

– Nous avons remarqué. Cela s'appelle l'adolescence. Ce ne sera pas éternel.

– Non, ce n'est pas ça. Oui, je suis une adolescente. Mais rappelle-toi, j'ai commencé à aller mal avant la puberté.

– C'étaient les prémices. Les tourments débutent avant, c'est normal.

La jeune fille soupira :

– Alors vous êtes vraiment tous aveugles à ce point ?

– De qui parles-tu ?

– De cette famille. Au fond, ça m'arrange, cette cécité générale.

– Je ne comprends pas un mot de ce que tu racontes.

– C'est bien ce que je disais.

– Ce que j'entends, c'est que tu ne vas pas bien. La voyante avait peut-être raison, finalement : tu devrais recevoir une aide psychologique.

– Oui. Tue-moi.

– Tu devrais voir quelqu'un. Il y a des psys, à Arlon.

– Je refuse.

– Je ne te demande pas ton avis.

– Devant un psy comme devant qui que ce soit, je ne dirai rien.

– Pourquoi ?

– Parler fait mal.

– Qu'en sais-tu ? Tu n'as jamais essayé.

– J'ai essayé en moi.

– C'est très différent.

– En effet, c'est moins douloureux et, pourtant, c'est déjà insoutenable. Hors de question que je souffre davantage.

– Que se passe-t-il ? Je suis épouvanté.

– Tue-moi, papa. Tu ferais une bonne action.

– Ma chérie, mets-toi bien dans la tête que je ne te tuerai jamais.

– Il faut que je meure. Il le faut.

– S'il le fallait vraiment, tu te suiciderais ?

– C'est ça que tu veux ?

– Non ! Je n'ai pas dit cela. J'ai dit que tu as le désir de vivre puisque tu ne penses pas au suicide.

– Il serait mille fois plus juste que ce soit toi qui me tues.

– N'importe quoi !

– Tu as largement contribué à ma venue au monde. Il serait juste que tu l'en débarrasses.

– Avec une logique pareille, c'est plutôt à ta mère que tu devrais le demander.

– Non. Maman a peiné à ma naissance, l'équité voudrait que tu peines pour me donner la mort.

– Tu délires ! Pauvre enfant ! Je ne me rendais pas compte que ta crise d'adolescence était à ce point aiguë.

– C'est parce que je ne parle guère.

– Je te préférais muette. Là, tu parles. C'est désastreux.

– Dans ma tête, c'est tout le temps comme ça depuis plus de quatre ans. Et ce n'est pas le pire. Le pire, c'est que je ne ressens plus rien depuis mes douze ans et demi. Et quand je dis rien, c'est rien. Mes cinq sens fonctionnent très bien, j'entends, je vois, j'ai le goût, l'odorat, le toucher, mais je n'éprouve aucune des émotions qui y sont liées. Tu n'as pas idée de l'enfer que je vis. Bernanos a raison, l'enfer, c'est le froid. J'habite à demeure le zéro absolu.

– La nuit dans la forêt ?

– C'était dans l'espoir d'éprouver le vrai froid du corps. Je l'ai éprouvé mais je n'ai pas ressenti l'angoisse animale que ça aurait dû éveiller en moi.

– Tu m'en as pourtant si bien parlé : l'odeur de la forêt, le chevreuil, le saisissement du froid qui monte.

– Il faut croire qu'on parle bien de ce qu'on ne ressent pas. Je me disais : « C'est beau », je voyais que ce l'était, et ça n'atteignait pas ma peau. Quand le froid a commencé à me faire souffrir, je me disais : « Réagis, pars, danse, bouge, puisque c'est intolérable », mais mon corps demeurait inerte. Il aurait mieux valu que je meure cette nuit-là.

– Le froid de fin septembre ne t'aurait sans doute pas tuée.

– Du coup, c'est à toi de t'en charger.

– Ma petite fille, n'y compte pas. Je vais t'emmener voir un médecin, il y a sûrement quelque chose à faire pour ton problème.

– Je suis déjà allée voir un médecin, papa. Je lui ai dit ce que je t'ai dit. Il a souri et il a répondu : « Vous avez dix-sept ans, mademoiselle. Vous avez besoin de tomber amoureuse, ce qui ne saurait tarder. Rassurez-vous, vous éprouverez beaucoup de choses, alors. »

– Qui est cet abruti ?

– Un docteur comme les autres. Le comble, c'est que j'ai essayé sa solution. J'ai envisagé tous les êtres dont il était possible de s'éprendre, y compris toi : il ne s'est rien passé.

– Tant mieux.

– Je pense qu'il est invraisemblable de tomber amoureuse quand même la douleur ne donne aucun résultat.

– Tu parles du froid de la nuit en forêt ?

– Pas seulement. J'ai essayé les souffrances classiques, la lame d'un couteau enfoncée dans l'avant-bras : ça faisait mal et ça ne suscitait rien de plus. J'ai même profité d'une atroce rage de dents, que je vous ai cachée, dans l'espoir d'être enfin atteinte, tu comprends l'attente que je place dans le mot atteinte ? Rien.

– Tu n'étais pas ainsi quand tu étais petite.

– Tu te souviens ? Je ressentais tout plus fort

que tout le monde. L'odeur du matin me mettait dans un tel état que je me levais chaque jour à l'aube. J'étais incapable d'écouter de la musique sans danser, de manger du chocolat sans trépigner de plaisir.

– Que s'est-il passé ?

– La circonstance importe peu.

Silence.

– Tu n'as pas l'intention d'en dire plus ?

– En effet.

– Moi, je veux en savoir davantage.

– Tu le crois, mais ce n'est pas vrai.

– Parle.

– J'ai le droit de me taire.

– Dis-moi au moins quelque chose. Suis-je un mauvais père ?

– Tu es un bon père, ne t'inquiète pas. Malgré toi, tu m'as inculqué dès l'enfance un art qui m'a nui. Récemment, j'ai lu Proust. Il parle de ce qu'il appelle « le donjuanisme de l'aristocratie ». C'est une bonne façon de le dire.

– Je n'ai rien d'un don Juan.

– Ce n'est pas ce que ça signifie. C'est comme ça que tu es avec tout le monde : tu séduis. C'est très beau, tu ne cherches pas à obtenir quoi que ce soit : tu séduis pour l'unique plaisir de donner à l'autre l'impression qu'il mérite tant d'efforts. Ta séduction est une générosité. Je t'ai toujours vu à l'œuvre, j'en ai forcément attrapé quelque chose. Le problème, c'est que l'humanité n'est pas noble, et je n'emploie pas cet adjectif au sens social. De nos jours, dans le monde réel, qui n'est pas le tien, papa, quand une gosse de douze ans se conduit, sans le savoir, avec cet art de la séduction qui lui vient d'un père trop courtois, c'est interprété de façon atroce et ça entraîne des conséquences.

– Je t'écoute.

– C'est le moment où, dans les films américains, l'héroïne dit avec raison : « *You don't want to know.* »

– Tu m'agaces avec tes citations à trois francs cinquante.

– Tu as raison, je m'agace moi-même. Si tu savais comme j'en ai assez de moi !

– Eh bien, change. À ton âge, on peut changer.

– Je te jure que j'ai essayé. Depuis des années, j'ai lu et relu les meilleurs livres, les classiques et les modernes, dans l'espoir d'y puiser une solution miraculeuse. J'ai trouvé des merveilles, mais rien qui m'ait touchée. Toujours ce rempart de glace entre moi et moi. Je voudrais tant qu'il cède.

– Ce n'est pas en lisant qu'on change. Il faut vivre.

– Quelle vie as-tu prévue pour moi, papa ? Les mêmes fêtes que celles où vont Oreste et Électre, où je n'aurai ni leur splendeur ni leur grâce. De toute façon, ces rallyes ne m'intéressent pas. Ni me marier, à plus forte raison avec un de ces godelureaux ! D'ailleurs, aucun ne voudrait de moi. Le monde est bien fait, parfois.

– Tu es intelligente, tu étudieras à l'université.

– À quelle fin ?

– Pour avoir un métier passionnant.

– Quand on n'est jamais ému, on n'est jamais passionné.

– Que voudrais-tu ? Quel est le rêve que tu aimerais réaliser ?

– Je n'ai pas de rêve, je ne veux rien, sinon que ça s'arrête. Ça, je le veux ardemment.

– Qui te dit que c'est si bien, la mort ?

– Je n'en sais rien. Au moins, c'est autre chose.

– Peut-être. C'est peut-être juste pareil.

– Parle autant que tu veux, papa, tu ne peux rien contre cette obsession. Me la donneras-tu, oui ou non ?

– La mort ? Jamais. Je suis ton père et je t'aime.

– Agamemnon était le père d'Iphigénie et il l'aimait. Il l'a tuée pourtant.

– Comme tu le sais, je ne t'ai pas appelée Iphigénie. Tires-en les conséquences.

– Il faut croire que quand on a appelé ses aînés Oreste et Électre, l'impulsion est si forte que, quel que soit le prénom de la troisième, le destin se met en branle.

– N'importe quoi. Je ne ressens aucune impulsion de ce genre.

– Le destin agit même si tu ne le ressens pas.

– Il n'y a pas de destin.

– Alors pourquoi crois-tu à la prédiction de madame Portenduère ? Tu y crois au point de lui obéir, au point de chercher une victime idéale parmi tes invités ! Tu vas au-devant d'un désastre, papa. Évrard est formel, tu ne peux pas préméditer le meurtre d'un invité, si odieux soit-il. Que vas-tu faire ?

– Je ne sais pas. Cela ne te regarde pas.

– Si, ça me regarde. Moi non plus, je ne dors plus depuis deux jours. J'ai examiné toutes les possibilités. Crois-moi, pas d'autre solution que celle que je t'apporte sur un plateau.

– Je refuse.

– Je reprends ta logique, papa, celle des précédents. Curieuse logique, d'ailleurs, mais c'est la tienne. Tu n'appelleras pas Évrard pour savoir s'il existe un précédent en matière d'infanticide dans notre milieu. Moi, je te le dis, il y en a un : Agamemnon et Iphigénie. Une excellente famille, comme tu n'as cessé de le répéter.

– Tu as vu comme ce précédent donne envie de le suivre ? Il n'arrive que des horreurs au père infanticide.

– L'horreur, en effet, mais pas l'indignité. Si tu me tues au cours de la garden-party, tout le monde verra en toi un monstre, mais personne ne jugera ton acte ignoble, au sens étymologique du terme. L'infanticide, c'est abject, ce n'est pas impoli. Tu n'auras pas commis d'impair. On te connaîtra encore, ainsi que ta femme et tes enfants.

– La belle affaire !

– Oui, la belle affaire. C'est ce qui t'importe le plus. Tu ne dois pas seulement être un bon père envers moi, tu dois aussi être un bon père envers Oreste et Électre, et un bon mari envers maman. Si tu tues un invité, on ne les connaîtra plus. Si tu me tues, on continuera de les recevoir.

– Je veux également être un bon père envers toi, figure-toi.

– Je t'offre une sacrée occasion de l'être.

– Être un bon père, ce n'est pas obéir à l'ordre insensé d'une gamine qui se prend pour Antigone.

– Antigone ? Rien à voir ! Antigone aimait la vie. Pas moi.

– Bref, je ne t'obéirai pas.

– Tu n'as pas encore compris que tu n'as pas le choix, papa. C'est ça, le destin.

– Même si c'était vrai, je serais incapable d'un tel acte.

– Tu crois qu'Agamemnon s'en sentait capable ? Tu ne crois pas que tout, en lui, s'y refusait ? Pourtant, son cas était pire que le tien. Iphigénie ne voulait pas mourir.

– Tu me manipules. Tu es monstrueuse.

– Raison de plus pour m'assassiner.

– Tu as réponse à tout. Comment as-tu prévu que je procède ?

– Comme tu comptais le faire : avec le fusil de chasse.

– Tirer à la 22 long rifle sur la tête de ma fille : c'est impossible.

– Il faudra bien. Préfères-tu me précipiter du haut de la tour d'angle ?

– Non. Que le Pluvier reste en dehors de cette abomination.

– Nous ne possédons pas de poison, tu ne pourras pas jouer aux Borgia.

– Viserai-je du haut de la tour ?

– Trop risqué. Tu pourrais toucher quelqu'un d'autre. Je ne crois pas que tu sois un excellent tireur, papa. En fin d'après-midi, tu iras chercher la carabine. Je serai dans le jardin avec les invités. Tu reviendras, tu fendras la foule et, sans perdre de temps, tu me tireras dessus à bout portant.

– Impensable !

– Il faudra bien. Chaque fois qu'une objection surgira dans ton esprit, répète-toi cette formule : il faudra bien. Aucune dérogation n'est envisageable.

– Tu ne m'aimes donc pas ?

– Si, je t'aime.

– Si tu m'aimais, tu ne m'ordonnerais pas d'accomplir cette abjection.

– C'est précisément parce que je t'aime que je t'y enjoins. Pour toi, c'est l'unique solution.

– Et pour toi, qu'est-ce que ce sera ?

– Oh, moi, l'idée d'être enfin atteinte par quelque chose suffit à mon bonheur. Si tu savais comme il est pénible de n'être atteinte par rien !

– Ma petite fille, nous sommes le 2 octobre. Je suis censé te... Ton plan est censé se dérouler le 4 octobre. Comment vivre jusque-là ?

– N'y pense pas. Concentre-toi, comme chaque année, sur les préparatifs de la garden-party.

– Comment veux-tu que je n'y pense pas ?

– Agamemnon, lui aussi, a su à l'avance qu'il devrait sacrifier sa fille chérie. Il ne devait pas être si différent de toi.

– Lui au moins, c'était un sacrifice.

– Si ça peut t'aider, dis-toi que c'en est un. À la réflexion, c'est vrai : tu vas sacrifier ta fille.

– À quelle cause vais-je te sacrifier ?

– À la bonne marche du monde. Au devoir qui t'habite depuis que tu es né, à l'honneur qui consiste à respecter ses invités, à la mémoire de tes ancêtres qui se sont battus pour le conserver quel que soit le prix à payer.

– Quelle barbarie !

– Allons, tu as toujours dit le plus grand bien de ceux qui ne dérogeaient pas à leur charge. Tu peux être sûr qu'Agamemnon se répétait bravement combien il le fallait et combien il souffrait de cette certitude.

Henri cacha son visage dans ses mains. Sérieuse reprit la parole :

– Veux-tu que je te signe une lettre certifiant mon accord ?

– As-tu perdu le sens commun ?

– Au contraire. Je ne veux pas que me tuer te condamne.

– Et moi, je le veux. Pour la première fois, je

suis en faveur du rétablissement de la peine de mort, rien que pour moi, après.

– Papa, après, tu te diras que tu m'as offert ce dont j'avais besoin. Je te considère comme le meilleur père de l'univers parce que tu acceptes de me délivrer de cette gangue de néant dans laquelle j'étouffe. N'oublie pas : ce que tu vas commettre ce sera un acte d'amour envers moi !

– Tais-toi. Si tu continues de parler, je vais te haïr. Et si je te hais, je n'aurai pas le courage de te tuer.

La jeune fille sourit. Cette ultime phrase la rassura : son père irait jusqu'au bout.

Alexandra était la plus heureuse nature qui se puisse concevoir. Elle trouvait toujours le moyen de voir le bon côté des choses. Elle refusait les conversations déprimantes, surtout quand elles ne servaient à rien, ce qui était fréquent :

– Ces gens qui reviennent de Venise en disant qu'elle s'enfonce ! Ils vous le disent d'un air important, comme si nous l'ignorions, comme si nous allions pouvoir y changer quoi que ce soit ! C'est insupportable !

Aussi, dès que quelqu'un commençait à parler du soleil qui allait s'éteindre dans des milliards d'années, des jeunes qui ne quittaient plus leur ordinateur ou des ours qui contemplaient, affamés, la banquise qui s'amenuisait,

Alexandra y coupait court en déclarant, avec un sourire radieux :

– Venise s'enfonce !

Les gens se regardaient, mal à l'aise, se demandant ce que cela venait faire dans leurs propos, ne comprenant pas pourquoi la perspective de l'immersion de Venise mettait la comtesse de si joyeuse humeur. L'orateur déplorait d'avoir perdu le cours de ses pensées. Alexandra en profitait pour changer de sujet.

Rien ne lui paraissait tragique. Il y avait pour elle deux sortes de conversations, les ennuyeuses et les autres. Les catastrophes irrémédiables, l'annonce des malheurs inévitables l'assommaient.

Les trois enfants avaient si bien appris à déchiffrer, sur le beau visage de leur mère, les signes de la lassitude, qu'ils interrompaient d'eux-mêmes les péroraisons fâcheuses d'un irréfutable « Venise s'enfonce ! ».

L'invité tournait alors des yeux inquiets vers Alexandra qui disait :

– Je ne sais pas ce qu'ils ont. L'adolescence est un âge mystérieux. Comment vont vos enfants, cher monsieur ?

Quand les finances familiales commencèrent à décliner, Henri s'en ouvrit à son épouse. Elle en prit acte et accepta de colossales baisses de budget sans l'ombre d'une plainte. On vendit l'appartement de Bruxelles et l'Aston Martin de la comtesse qui ne sembla pas même remarquer ces changements.

Début 2014, Neville annonça que, malgré leurs efforts, il faudrait vendre le château : la situation était désormais irréversible. Il entama un discours élégiaque, osant avouer l'immensité de son chagrin. Il fut interrompu par sa femme :

– Venise s'enfonce !

– Mais… n'as-tu pas de la peine, toi aussi, de perdre le Pluvier ?

– Qui te dit que je ne trouve pas désolant que Venise s'enfonce ?

« J'avais décrété que 2014 était une année horrible, je ne savais pas à quel point j'avais raison », pensa Henri quand Sérieuse quitta son bureau. D'habitude, en cas de grave problème, il consultait son épouse. Là, il ne le pouvait pas. La jeune fille lui avait présenté son assassinat comme à ce point inéluctable qu'il se déclara à lui-même :

– Venise s'enfonce !

Ce propos n'eut pas dans sa bouche le comique impertinent qu'il avait dans celle d'Alexandra.

Comment s'interdire d'y penser ? Henri se souvint qu'à la mort de Louise, comme il pleurait sans discontinuer depuis un mois, Aucassin lui avait ordonné d'arrêter.

– Je n'y arrive pas, avait répondu l'enfant entre ses larmes.

– Je t'interdis de penser à elle. Est-ce que c'est clair ? avait dit Aucassin d'une voix terrible.

L'autorité paternelle avait pallié sa défaillance. À soixante-huit ans, Henri alla chercher dans sa mémoire la voix de son père pour s'interdire de penser à l'assassinat qu'il s'apprêtait à commettre. L'efficacité du procédé fut immédiate.

La puissance du tabou fut d'emblée si absolue que l'ancienne défense capitula aussitôt : Neville se mit à penser à la mort de Louise en s'adonnant à son désespoir comme il n'avait plus eu le droit de s'y livrer depuis près de soixante années. Il se laissa aller à pleurer tout son soûl. «Je ne savais pas que je contenais tant de larmes», pensa-t-il.

À travers ses sanglots, il ne put éviter de voir une parenté de situation : si Aucassin n'avait certes pas tué Louise, on ne pouvait nier qu'il n'avait pas eu l'attitude d'un père qui cherche à sauver son enfant. Le médecin n'était venu qu'une seule fois à son chevet et avait décrété que l'adolescente devait changer de climat dans les plus brefs délais :

– Sans chaleur, sans soleil, cette petite ne guérira pas.

Ces paroles étaient restées lettre morte. Aucassin n'avait pas les moyens d'envoyer sa fille dans le Sud. Il ne fut pas question un seul instant de vendre le château pour payer les soins. Henri se demanda si cette idée avait même effleuré l'esprit de son père. « Sûrement pas, conclut-il. Pour Aucassin, c'était de l'ordre de l'impensable. »

Il se retrouvait dans une impasse identique. À cette différence près que le dilemme n'avait jamais atteint la conscience de son père : « Heureux homme, vous ne saviez pas que vous aviez été le meurtrier de votre fille chérie ! Et votre milieu a fermé les yeux sur votre infamie, et on a continué de vous connaître et de vous recevoir, et votre nom, aujourd'hui encore, inspire le respect ! »

Comme Henri s'était refusé le droit de pousser plus avant la comparaison en pensant au sort sinistre qui l'attendait, il reconstitua par ses souvenirs le visage de Louise sur son lit de mort. Il fut frappé par une évidence qui lui avait échappé jusqu'alors : Sérieuse, à dix-sept ans, ressemblait à Louise dans son cercueil.

Vivante, Louise était beaucoup plus jolie que Sérieuse. La mort avait figé ses traits en une expression rigide et sans grâce : « C'est l'air qu'a Sérieuse depuis ses douze ans », pensa-t-il.

Il essaya de se rappeler Sérieuse enfant : c'était une petite fille sans beauté mais qui éclatait de vie. Louise était comme cela aussi. La joliesse lui était venue vers treize ans, à peu près à l'âge où Sérieuse s'était éteinte. Décidément, il y avait entre ces deux fillettes des connexions intrigantes.

« Et moi, je suis celui qui va perdre par deux fois une jeune fille que j'aime, la première fois en témoin du drame, la seconde en coupable. »

Une chouette hulula à cet instant. Sa mère lui avait toujours dit : « Quand crie la chouette, ta pensée est juste. » « Me voici bien avancé, songea-t-il. Coupable, je ne le suis pas encore. Ou alors je le suis déjà. À quel moment le suis-je devenu ?

Était-ce vraiment provoquer le destin que d'appeler mes aînés Oreste et Électre ? »

Il tenta de reconstituer ce que Sérieuse lui avait raconté à propos de ses douze ans. « Je n'ai pas compris, conclut-il. C'était d'ailleurs son intention avouée. Cette petite fait de moi ce qu'elle veut. »

La nuit suivante, à trois heures du matin, Henri ne dormait toujours pas.

« J'ai beau m'interdire d'y penser, quelque chose y pense en moi. Vais-je résister à trois nuits blanches consécutives ? »

C'était un grand mystère que l'insomnie. *A priori*, quelle souffrance y avait-il à séjourner durablement dans un lit confortable, même sans dormir ? Pourquoi y devenait-on le siège de pensées atroces ? L'explication était celle-ci : l'insomnie consistait en une incarcération prolongée avec son pire ennemi. Ce dernier était la part maudite de soi. Tout le monde n'en était pas pourvu : ainsi, tout le monde ne connaissait pas l'insomnie.

Cette malédiction était d'autant plus redoutable qu'elle s'attaquait à des individus plongés dans l'obscurité et donc privés de l'échappatoire du regard. Les médecins conseillent, en cas d'insomnie, de se lever et de s'occuper : c'est ignorer que le plus souvent, l'insomniaque n'en est pas à sa première nuit sans sommeil, il est trop fatigué pour accepter une diversion.

Henri, épuisé, avait à peine la force de lutter contre sa pire pensée. Mais à trois heures et demie du matin, son esprit buta sur un point qui lui parut capital ; la prédiction de la voyante stipulait : « Lors de cette réception, vous allez tuer un invité. » Or, Sérieuse n'était pas une invitée. Elle était la jeune fille de la maison. Donc, ce ne pouvait pas être elle, la victime.

Ébloui par cette prise de conscience, Neville soupira de soulagement. Délivré, il s'endormit enfin.

Plus que les autres, les insomniaques savourent le bonheur du sommeil : eux au moins, ils savent qu'ils dorment.

Il s'éveilla à dix heures du matin et resta au lit pour analyser cette sensation exquise du repos qui coulait dans son sang. « Je ne dirai rien à Sérieuse, décida-t-il. Cette sale gamine serait capable de me mettre à nouveau la tête à l'envers avec ses arguties. Qui vais-je donc tuer demain ? N'importe qui. Comme cela, on ne pourra pas m'accuser de préméditation. » Cette pensée l'amusa et il se leva d'excellente humeur.

Alexandra lui tint compagnie pendant son petit déjeuner. Le temps était superbe.

– Vialatte l'a bien dit, la météo n'obéit qu'à une seule loi : le temps, dans quatre-vingt-dix pour cent des cas, est le même que la veille. Il fera donc magnifique demain pour la garden-party.

– As-tu commandé le champagne, mon chéri ?

– Les livreurs l'apportent aujourd'hui à midi. Je m'en occupe.

Ils discutèrent de divers détails sans s'apercevoir que, par la porte entrouverte, Sérieuse les observait. Innocent comme un premier communiant, Henri avait négligé de se composer un visage. Il était authentiquement joyeux. Ce point n'échappa pas à la jeune fille.

Vers quinze heures, à la cuisine, Neville s'affairait à retirer les flûtes des cartons et à vérifier leur propreté. Il mirait chaque verre et s'il distinguait la moindre empreinte digitale, il le plongeait dans l'eau chaude, sans savon. Sérieuse le rejoignit :

– Je peux t'aider, papa ?

– Oui, ma chérie. Quand tu as fini avec une flûte, tu la disposes sur les plateaux.

Ils s'affairèrent en silence.

Henri ne sentait pas le danger.

– Tu as l'air d'aller beaucoup mieux, papa.

– En effet. J'ai enfin dormi.

– Ah. Pas moi.

Il s'aperçut qu'elle était livide.

« Se peut-il qu'elle ait peur de mourir ? »

songea-t-il tout en passant un torchon sur le verre qu'il tenait. Et il continua d'inspecter les flûtes comme si de rien n'était.

– Je te trouve même joyeux, reprit-elle.

– J'aime les préparatifs d'une garden-party. Ils se conjuguent au souvenir des réceptions antérieures, au goût du champagne. C'est de l'ivresse par anticipation.

– Il ne faudra pas trop boire. Tu devras viser à la tête.

« Elle est odieuse. Elle mériterait que j'accomplisse ce qu'elle veut ! » pensa-t-il.

Il remarqua qu'elle bâclait le travail et se permit un commentaire.

– Comment peux-tu accorder tant d'importance à la limpidité d'un verre, alors que tu sais ce qui va se passer demain ?

– C'est un enseignement du Bouddha : « Quand tu fais la vaisselle, fais la vaisselle. »

– Le Bouddha a vraiment dit ça ?

– Cela s'en rapproche. L'esprit y est en tout cas.

– Tu sais, j'ai peur de mourir.

– Veux-tu dire que tu renonces ?

– Non. Et si à la dernière minute je t'implorais de m'épargner, il faudrait n'en tenir aucun compte.

– D'accord.

Peu satisfait de l'ouvrage de Sérieuse, Neville s'empara d'une flûte qu'elle avait déposée et la relava. Elle soupira.

– Tu ne m'aimes pas.

– Parce que je renettoie ta flûte ?

– Moque-toi de moi, en plus. Au fond, m'assassiner demain, ça ne te perturbe pas.

– Je me contente de suivre tes préceptes à la lettre. Le mot d'ordre est « Il faudra bien ». Hier, souviens-toi, je me suis révolté, j'ai freiné des quatre fers, j'ai refusé tant et plus.

– Et là, tu acceptes ?

– Je m'accommode.

– C'est répugnant.

– Que désirerais-tu ?

– Je voudrais sentir que tu souffres.

– Tu ne sens rien, comme tu le sais.

– Hier, je sentais ta douleur. Ça me plaisait doublement : sentir quelque chose et sentir que la perspective de me tuer te ravageait.

– Bon petit cœur !

– Là, c'est fini. Tu ne souffres plus.

– J'ai horreur de la complaisance. C'est une émotion ignoble. Prends-en de la graine.

– Ah oui. Crois-tu qu'il soit encore utile de m'apprendre la morale ?

– Sûrement. Tu as vingt-quatre heures de vie devant toi et, vu ce que je découvre de ta personnalité, je redoute le pire.

– Au fond, ça t'arrange de me tuer. Quel bon débarras ! Je ne suis ni jolie, ni aimable, ni aimée.

Henri soupira et regarda sa fille en face :

– Une crise d'adolescence ordinaire : voilà ce que tu me sers.

– C'est faux : imposer à mon père de m'assassiner, ce n'est pas banal !

– C'est ce que tu veux, ma petite fille ? Être originale ?

– Et toi, tu veux m'humilier avant de me tuer ?

Elle éclata en sanglots. Neville fondit et l'enlaça. Depuis combien de temps ne l'avait-il plus vue pleurer ? Elle se laissa étreindre avec douceur et puis se dégagea, comme si elle se rappelait que son rôle ne lui autorisait pas cette posture.

Le comte vit le visage de Sérieuse si décomposé qu'il ne se contrôla plus ; il tomba dans le piège.

– Je ne te tuerai pas, mon enfant. C'est pour cela que je suis heureux.

– Comment ça, tu ne me tueras pas ? dit-elle d'une voix tremblante.

– Je ne te tuerai pas, je te le promets. Ne pleure plus, ma grande.

– Mais c'est le contraire que j'attends de toi. Tu n'as pas le droit de revenir sur ta promesse !

Henri retourna à ses flûtes.

– Tu n'es jamais contente.

– Que tu es bête ! Tu n'as pas compris que

je jouais la comédie ? Je n'ai aucune peur de la mort ! Simplement, ça crevait les yeux que tu avais renoncé à me tuer. Je voulais m'en assurer.

– Tu mériterais que je te tue, poison ! Et pourtant, je n'en ferai rien.

– Tu es prêt à tout pour me contrarier !

– As-tu fini de parler comme une idiote ?

– Hier, tu étais d'accord ! Que s'est-il passé ?

– La prédiction de la voyante était que je tuerais un invité. Tu n'es pas une invitée.

Sérieuse en resta bouche bée.

– Quoi, c'est ça ? dit-elle quelques instants plus tard.

– Tu es la jeune fille de la maison.

Elle éclata de rire.

– Papa, si tu n'existais pas, il faudrait t'inventer. Est-il possible d'être formaliste à ce point ?

– Je ne vois rien de drôle.

– Puisque la terminologie t'importe tellement, invite-moi.

– Impossible. Tu es ma fille, tu habites chez moi, tu es mineure, tu me dois obéissance.

– Aucune de ces caractéristiques n'est incompatible avec le statut d'invitée, tu le sais.

– Nous sommes samedi après-midi, la réception est demain, dimanche. Le carton ne t'arrivera pas à temps.

– Tu te moques de moi. Combien de fois t'ai-je vu inviter des gens oralement ?

– Ce n'est pas ce qu'on appelle une invitation en bonne et due forme.

– On s'en fiche. Invite-moi.

– Une injonction aussi grossière ne donne aucune envie de t'inviter.

– Je ne suis pas digne d'être reçue par toi, mais dis seulement une parole et je serai invitée.

– Impertinente !

– Non. J'ai conscience de te demander un véritable adoubement. Et j'espère que tu vas me l'accorder.

– Tu ne le mérites pas.

– J'ai passé en revue la liste de tes invités : aucun ne le mérite, papa.

– Que tu es prompte à mépriser ! Tu ne sais rien de ces gens.

– Je sais qu'ils ne t'arrivent pas à la cheville.

– Est-ce que tu m'aimes ou est-ce que tu me détestes ?

– Je te déteste parce que tu incarnes une noblesse qui n'a plus cours. Et je t'aime pour la même raison. À cause de toi, j'ai cru que les adultes te ressemblaient. J'ai payé cher mon erreur.

– Quand tu parles par énigmes, tu m'insupportes.

– Invite-moi, papa.

– T'inviter, c'est te condamner à mort.

– Exactement.

– Comment pourrais-je t'accorder cela ?

– Papa, je ne suis pas une enfant gâtée. Je ne t'ai jamais rien demandé. C'est la première fois de ma vie que je te demande quelque chose.

– C'est vrai. Mais pour une première fois, tu n'y vas pas de main morte.

– Tu n'as pas le choix. Pense à la prédiction.

– Cette nuit, j'avais décidé de tuer n'importe quel invité, un peu au hasard.

– Tu es fou ! Évrard te le dirait.

– Si je parlais à Évrard de ce que tu veux que j'accomplisse, il me répondrait certainement qu'il n'y a pas de précédent dans notre milieu.

– Et les Atrides ?

– Ils n'étaient pas belges.

– Tu es drôle, papa. Tout comme est drôle ton besoin de précédent. Pourquoi faudrait-il qu'il y en ait un ?

– C'est l'un des principes aristocratiques. On s'inspire des actes des anciens.

– Bravo ! Avec une idéologie pareille, on ne va pas loin.

– On va assez loin à mon gré.

– Ça ne tient pas la route, ton histoire. Si on remonte aux origines, il a bien fallu qu'un jour un noble soit le premier à commettre telle ou telle action.

– Je n'ai aucune envie d'être le premier à tuer son enfant au cours d'une réception, vois-tu.

Sérieuse, qui jusqu'alors avait eu un comportement égal, contracta à cet instant une colère effrayante :

– Vas-tu comprendre qu'il n'est pas question ici de ton bon vouloir ? Le destin se moque de ton envie ! Qu'est-ce que tu crois ? Tu t'imagines que la vie se soucie de ton consentement ?

– Rassure-toi, ma chérie, je n'ai pas eu besoin de tes lumières pour apprendre la dureté de l'existence.

– Pourquoi ? Parce que tu as perdu ta sœur ? Ce n'est rien, ça ! C'est un drame dont tu ne portes pas la responsabilité ! Tu ne t'en tireras pas sans avoir rejoint la tribu des coupables !

– Tais-toi !

– Non, je ne me tairai pas ! C'est trop facile ! Tu mourras coupable, comme tout le monde !

– Comme toi ?

– Comme moi, bien que d'une autre façon.

– Tu délires. Il faut vraiment que tu voies un spécialiste.

– Pas le temps. La garden-party est demain. Invite-moi.

La colère de la jeune fille, qui avait commencé à la manière d'une explosion, était désormais froide et d'autant plus inquiétante. Henri la subissait comme une agression encore plus physique que mentale et c'est à cause de cela qu'il capitula, d'une voix étranglée :

– Je t'invite, Sérieuse.

Elle se radoucit en une seconde.

– Tu mesures, n'est-ce pas, ce à quoi cette parole t'engage, papa ?

– Oui.

– Merci. Je suis très émue.

Le visage de l'adolescente se mit à irradier. Elle dut se rendre compte qu'elle était presque belle parce qu'elle s'offrit au regard de son père avec la théâtralité typique de cet âge. L'espace d'une minute, Neville subodora qu'il y avait une pulsion proche du désir sexuel dans le besoin d'être assassinée. Et comme il avait horreur de ce qui était tordu, il grimaça. La beauté de la jeune fille s'éteignit aussitôt.

– Si tu ne me trouves pas belle, c'est parce que je te ressemble. Le sais-tu ?

– As-tu fini avec tes propos déplacés ?

– Tu as raison. Faisons mentir le proverbe « Jamais deux sans trois ». Je ne veux pas avoir à te convaincre à nouveau de me tuer. Décidons d'un plan. À quel moment procéderas-tu ?

– Les invités commenceront d'arriver vers quatorze heures. À seize heures, il doit y avoir le récital dans le jardin.

– Parfait. Au début du récital, tu t'absenteras. Personne ne le remarquera, tout le monde écoutera la musique. Pour le même motif, personne ne te verra revenir avec le fusil de chasse. Je serai debout, au premier rang du public, à l'angle. C'est alors que tu tireras.

– Va-t'en.

– Tu n'as plus le droit de changer d'avis, n'est-ce pas ?

– Je sais. Va-t'en.

Accablé, le comte acheva de s'occuper des flûtes tout en enchâssant des pensées confuses dont il convint d'un destinataire. « Mon Dieu, je ne sais même pas si j'ai la foi, mais il faut bien que je m'adresse à quelqu'un. Je te prie – de quoi ? Je ne sais que te demander. Je te prie au sens absolu du verbe. Ai-je mérité un sort aussi abject ? Je n'aurai pas l'audace de me prononcer. Si je pouvais périr de n'importe quoi au cours de la nuit, ce serait merveilleux. Dieu, je ne te demande rien. Je n'ai jamais su si je croyais en toi, je n'ai jamais pensé à toi. Si je t'appelais au secours maintenant, sous prétexte que je suis dans la détresse, j'aurais honte de cette vilenie. Que les choses se passent comme elles doivent se passer, voilà tout. »

Sérieuse l'avait bassiné avec Agamemnon et Iphigénie. Henri, qui avait des rudiments de catéchisme, pensa à Abraham et à Isaac. Une bouffée d'espoir l'envahit, bientôt suivie d'une douleur plus vive encore : « Cela n'a rien à voir. Isaac n'était pas le commanditaire du sacrifice. Je ne serai pas sauvé. Comment disait Sérieuse, déjà ? "Tu mourras coupable, comme tout le monde !" Je ne comprends pas. Cette enfant est née dans l'amour, il n'y a jamais eu que de l'affection autour d'elle. Comment ai-je pu engendrer une violence pareille ? »

La nuit, c'est à l'histoire de Job que pensa Henri : « Lui non plus, il ne connaissait pas son bonheur. Perdre ses biens, sa femme et ses enfants, ce n'est rien ! Si Dieu lui avait ordonné de tuer lui-même sa femme et ses enfants, alors je le plaindrais. Non, ça, ce n'est encore que de la rigolade. Si sa femme et ses enfants lui avaient ordonné de les assassiner, alors j'aurais pitié de lui. Qu'est-ce que je raconte ? Mon cas est mille fois plus grave. C'est seulement mon dernier enfant que je vais tuer. Ma femme et mes deux aînés seront vivants après mon crime. Ils me haïront, ils ne comprendront jamais. Et je leur donnerai raison. Je n'ajouterai pas la complaisance à la liste des ignominies qui m'incombent, je me permets néanmoins de dire à Dieu que je trouve mon sort inadmissible. Job était un juste. J'imagine que mon infériorité par rapport à Job, c'est de n'avoir jamais vraiment envisagé la foi. Il n'empêche, si je suis puni à cause de cela, c'est indigne de la part de Dieu. Je n'ai pas le droit de le juger, n'est-ce pas ? Qu'est-ce que je risque de pire que ce qui va m'arriver ? Dieu, je te le dis, tu n'es pas un aristocrate. Je ne te connais pas. »

Trois heures d'insomnie plus tard, il se rappela, avec un rire amer, la phrase de Stendhal : « La seule excuse de Dieu, c'est qu'il n'existe pas. »

« Je blasphème n'est-ce pas ? Je voudrais blasphémer davantage. Il me semble que je suis au bout de mes capacités. » À quatre heures du matin, Dieu eut pitié de ce pauvre homme si peu doué pour la haine. Il dormit.

Quand Neville s'éveilla, il fut si stupéfait d'avoir eu droit au sommeil qu'il soupçonna une intervention du divin. Mais le souvenir du crime qu'il devait commettre quelques heures plus tard effaça cette impression.

Par bonheur, si l'on peut dire, le travail ne manquait pas. Des jeunes gens et des jeunes filles du village avaient été recrutés pour le service : Henri les accueillit et leur expliqua comment procéder.

La jeune soprano Pascaline Ponthois débarqua plus tôt que prévu. Trop occupé pour la recevoir, le comte appela Sérieuse :

– Emmène mademoiselle Ponthois en promenade dans la forêt. Elle a dix-neuf ans, vous aurez sûrement beaucoup de choses à vous dire.

Sérieuse le regarda comme un retardé mental et obéit de très mauvaise grâce.

Le fleuriste avait confondu la commande du Pluvier avec celle du funérarium de Meix-le-Tige : il fallut aider Alexandra à régler ce problème combien incongru.

Électre doutait de la qualité de ses meringues et son père dut en manger quatre pour la persuader qu'elles étaient excellentes. Manger quatre meringues dans de telles conditions fut un supplice.

Il fallut envoyer Oreste avec la voiture chez le baron Snoy pour recharger la batterie.

Au milieu de cette agitation, Neville se représentait parfois l'acte qu'il devait commettre l'après-midi : une décharge électrique le parcourait alors sans qu'il ait le droit de hurler.

Il faisait un temps magnifique.

Quand Sérieuse revint de promenade avec la cantatrice, Henri lui dit :

– Va t'habiller, ma chérie, les invités vont arriver d'une minute à l'autre.

– Ça y est. Je n'ai pas l'intention de me changer.

La jeune fille portait le deuil. Son père ne fit pas de commentaire. « Au point où on en est » fut sa seule pensée.

La bête de scène qui reposait en lui se manifesta dès le commencement de la garden-party. Le comte n'y pouvait rien. Dès que les invités le voyaient, ils se sentaient bien. Il avait une manière de leur sourire en s'exclamant :

– Vous êtes là ! Comme c'est gentil d'être venus !

Neville était plus sincère que jamais en dévidant cette formule de bienvenue. Une part de lui jugeait que ces gens avaient bien du courage de se déplacer jusqu'à cet asile d'aliénés.

Il embrassait, faisait le baisemain, éclatait d'un rire chaleureux, admirait les robes, se réjouissait d'une guérison, saluait le succès d'un projet, déplorait un poignet foulé, s'extasiait sur la croissance des enfants. Il était l'hôte absolu, solaire, il avait fait cela toute sa vie.

Alexandra ne put s'empêcher de lui dire :

– Tu es splendide.

– Je te renvoie le compliment. Quelle est cette nouvelle tenue qui te va si bien ?

– Vieux mari, tu connais cet ensemble depuis vingt ans.

– C'est rare, une épouse qui garde une ligne aussi exceptionnelle.

Le Pluvier resplendissait. Sa teinte subtile chatoyait dans la lumière automnale.

– Votre château se porte à merveille, disait-on à Neville.

Il savait que ce n'était pas vrai, mais cela lui faisait plaisir. « Mon plus vieil amour, tu n'as jamais été aussi beau. Dès ce soir, je serai en prison. Je ne te verrai plus. Tu vas me manquer. »

Même Cléophas de Tuynen lui parut sympathique.

Évrard arriva avec un peu de retard :

– Pardonne-moi, mon cher Henri. Je sais que tu as le dessein de m'assassiner ; je rédigeais mon testament.

Oreste et Électre éblouissaient l'assemblée de leur superbe.

– Tu as vu, Sérieuse est en noir, dit Alexandra à son époux.

– J'ai remarqué.

– Ça lui va bien, tu ne trouves pas ?

– Peut-être.

La comtesse prit deux flûtes de champagne et en offrit une au comte :

– Buvons au succès de cette garden-party, déclara-t-elle.

Ils burent.

– Mais c'est du laurent-perrier cuvée Grand Siècle ! s'écria-t-elle.

– Tu as du discernement, mon amour.

– C'est une folie, mon chéri. Je croyais que nous étions pauvres.

– Précisément.

– Je comprends.

Les invités se dispersaient dans le jardin avec une harmonie difficile à attribuer au hasard. Neville y reconnaissait les symptômes d'une réception réussie : les gens se dépassaient. Soucieux de la beauté qui émanait de leur ensemble, ils étaient ce qu'ils pouvaient être de mieux : leurs mouvements coulaient les uns vers les autres, leurs paroles avaient la légèreté et la grâce de poèmes en prose. Personne ne cherchait à se mettre en avant et même les timorés accédaient à une forme d'existence.

« Comme ce spectacle plaît à mes yeux, à mes oreilles, à mon esprit ! pensait leur hôte. Et dire que je vais détruire à jamais ce monde parfait ! Ce n'est pas seulement ma fille que je vais assassiner, c'est cet univers auquel je vais mettre fin. Je suis le dernier représentant d'une courtoisie désuète, d'un art exquis d'être ensemble. Après moi, il n'y aura plus que des mondanités. »

Il contemplait son œuvre avec fierté et amour quand il vit se faufiler Sérieuse, l'air fermé. Il lui parla dans son cœur : « Tout le monde est heureux ici, tout le monde jouit de la fête, tu n'as qu'à être là, mais non, cela ne te suffit pas, il faut que tu souffres et que ta souffrance efface le reste. »

On convia les invités au fond du jardin pour le récital.

La cantatrice annonça qu'elle allait chanter des lieder de Schubert regroupés sous le titre *Le Chant du cygne*.

– Ils ont été écrits pour un ténor, mais je ne serai pas la première soprano à les reprendre.

Henri s'en alla subrepticement. Il monta au sommet de la tour, là où il avait rangé l'arme. Par la fenêtre, il regarda l'assemblée qui écoutait la cantatrice.

«*Le Chant du cygne*, pensa-t-il. Choix judicieux.» Il était trop loin pour entendre le lied ou même distinguer les visages, mais il sentait que les auditeurs lévitaient.

« Cette petite Ponthois ne manque pas de talent. Et moi qui vais gâcher la musique avec ma 22 long rifle ! » Il se donna l'ordre de ne plus penser et redescendit.

Il marcha jusqu'au fond du jardin sans chercher à dissimuler le fusil de chasse. Personne ne le remarqua. Quand il rejoignit le groupe, Pascaline Ponthois commençait « Ständchen ». Les gens étaient sous le charme absolu.

« J'agirai à la fin du morceau », décida-t-il en se rapprochant de sa fille. Celle-ci lui glissa un bout de papier. Il lut : « Ne me tue pas. J'ai changé d'avis. »

Sans qu'il puisse la contenir, une immense colère s'empara alors de lui : « Si elle s'imagine qu'à ce stade je vais l'épargner. Elle m'a d'ailleurs prévenu de ne pas tenir compte d'un désistement de dernière seconde. Il faudra bien, il faudra bien ! »

Autour de lui, les auditeurs vibraient aux stances de « Ständchen ». Seul de son espèce, Henri absorbait cette douceur déchirante pour la transformer en violence. Il regarda le visage de Sérieuse : elle pleurait.

« Trop tard pour les larmes, fillette. Quand la musique s'arrête, je passe à l'acte. »

Henri était dans une rage comparable à celle du général anglais découvrant, à la fin du *Pont de la rivière Kwaï*, que des résistants de son camp s'apprêtaient à faire exploser le pont que les soldats japonais les forçaient à construire : il tenait à une monstruosité qui lui avait tant coûté.

À la fin du morceau, Sérieuse le prit par la main et l'emmena à l'écart.

– Je ne veux plus mourir.

– Cela m'est égal. Tu m'as fait jurer de ne pas écouter tes protestations. Il faudra bien.

– C'est la musique. Elle m'a bouleversée.

– Petite idiote, tu n'as jamais écouté de musique de ta vie ?

– Pas celle-ci. C'est Schubert. Depuis le temps que j'essaie d'éprouver une émotion !

Regarde-moi : j'en ressens beaucoup trop à présent.

– Tu as des ressentis ? Raison de plus pour que je te massacre !

Elle rit à travers ses larmes.

– Papa, la malédiction est brisée. C'est comme si la voix de la soprano avait détruit la gangue qui m'enserrait le cœur.

– Je m'en fiche. J'ai un contrat à honorer.

Il mit en joue la tête de son enfant.

– Non, inutile de gâcher ton existence en me tuant, je veux vivre !

– Tu es une gamine odieuse et cruelle, une girouette insupportable. Pourquoi aurais-je pitié de toi ?

– Parce que je suis heureuse maintenant.

– Cela m'est égal. Je mourrai coupable, comme tout le monde. Je dois accomplir la prédiction.

– Papa, voyons, cette prédiction, c'est n'importe quoi !

– Ce n'est pas ce que tu disais hier.

– Je cherchais à te convaincre, mais enfin, comment accorder du crédit à une bonne femme qui ajoute qu'après le meurtre tout ira bien ?

– Ça, je n'y crois pas. Elle a dit ça pour me ménager, par politesse.

– Par politesse ! Cette voyante transgresse le principe même de toute prédiction, à savoir qu'on ne prédit rien à qui ne vous l'a pas demandé !

– Je veux te tuer quand même ! Tu as gâché ma garden-party !

– Tu plaisantes ? Elle n'a jamais été aussi réussie. Les gens sont enchantés.

– Pas moi. Je suis en enfer depuis trois jours à cause de toi.

– Sans doute fallait-il ça pour me sauver.

– Sale petite égoïste !

– Tu as raison. Tu ne vas pas me tuer pour ça.

– Dans tout roman honorable, quand un fusil est mentionné, il faut qu'il serve.

Sérieuse arracha la carabine des mains de son père et la jeta dans le lac.

– Le problème est réglé, dit-elle. Je retourne écouter la musique.

Henri demeura abasourdi à regarder l'endroit où l'eau avait avalé la 22 long rifle, à essayer de comprendre le cauchemar dont il émergeait et n'y parvint pas.

Il finit par remonter jusqu'au jardin, où le récital s'achevait. Pascaline Ponthois fut ovationnée. Sérieuse hoquetait de sanglots.

« Cette gamine est d'un grotesque, songeait-il tout hébété. Il faut bien que jeunesse se passe, je suppose. »

Neville s'aperçut qu'une serveuse avait un malaise et chancelait. Il vint lui prendre son plateau couvert de flûtes de champagne, voulut aller le poser sur une table mais il trébucha ; le plateau vola dans les airs et atterrit derrière la nuque de madame van Zotternien à qui il fit le coup du lapin. Elle mourut sur-le-champ.

Tout le monde témoigna qu'il s'agissait d'un accident. Madame van Zotternien était une vieille veuve avare et méchante que personne ne pouvait supporter.

Quand on lut son testament, on découvrit qu'elle léguait sa fortune, qui s'avérait considérable, à Henri Neville, à qui elle vouait depuis toujours une passion ridicule et heureusement insoupçonnable.

Grâce à ces millions miraculeux, il ne fut plus question de vendre le château. À l'heure qu'il est, on commence à réparer le toit.

DU MÊME AUTEUR

*Aux Éditions Albin Michel*

HYGIÈNE DE L'ASSASSIN

LE SABOTAGE AMOUREUX

LES COMBUSTIBLES

LES CATILINAIRES

PÉPLUM

ATTENTAT

MERCURE

STUPEUR ET TREMBLEMENTS, Grand Prix du roman de l'Académie française, 1999.

MÉTAPHYSIQUE DES TUBES

COSMÉTIQUE DE L'ENNEMI

ROBERT DES NOMS PROPRES

ANTÉCHRISTA

BIOGRAPHIE DE LA FAIM

ACIDE SULFURIQUE

JOURNAL D'HIRONDELLE

NI D'ÈVE NI D'ADAM

LE FAIT DU PRINCE

LE VOYAGE D'HIVER

UNE FORME DE VIE

TUER LE PÈRE

BARBE BLEUE

LA NOSTALGIE HEUREUSE

PÉTRONILLE

*Composition : IGS-CP*
*Impression : CPI Bussière en septembre 2015*
*Éditions Albin Michel*
*22, rue Huyghens, 75014 Paris*
*www.albin-michel.fr*
*ISBN broché : 978-2-226-31809-1*
*ISBN luxe : 978-2-226-18486-4*
*N° d'édition : 21830/03 – N° d'impression : 2018463*
*Dépôt légal : août 2015*
*Imprimé en France*